KB077227

헬라어 쓰기성경

Πρός Φιλιππησίους

- 빌립보서 -

언약성경연구소

케타브 프로젝트: 헬라어 쓰기성경 – 빌립보서 특별판

발 행 | 2024년 1월 28일

저 자 | 이학재

발행인 | 최현기

편집 · 디자인 | 허동보

등록번호 | 제399-2010-000013호

발행처 | 홀리북클럽

주 소 | 경기도 남양주시 진접읍 내각2로12 (070-4126-3496)

ISBN | 979-11-6107-049-0

가 격 | 13,900원

כתב Project

헬라어쓰기성경

Πρός Φιλιππησίους

- 빌립보서 -

영·한·그리스어
대역대조 쓰기성경

언약성경연구소

* 본 책에는맛싸성경(한글), 개역한글(한글), Westcott-Hort Greek NT(헬라어), NET(영어) 성경 역본이 사용되었으며,
KoPub 바탕체, KoPub 돋움체, Noto Serif Display, 세방체 폰트가 사용되었습니다.
헬라어 알파벳표와 모음표는 『왕초보 헬라어 펜습자』(허동보 저) 저자의 동의를 받고 첨부하였습니다.
맛싸성경3은 저자 이학재 교수가 원문성경에서 직접 번역한 번역물로 번역 저작물이 저작권협회에 접수된 개인번역입니다.

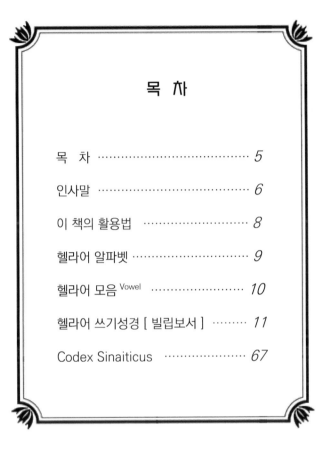

목 차

빌립보서는 사도 바울이 빌립보 교회에 보낸 편지로, 신약성경의 열한 번째 책입니다. 바울이 로마 감옥에 갇혀 있을 때 쓴 것으로 추정되며, 기쁨, 연합, 겸손, 감사의 주제로 구성되어 있습니다. 바울은 감옥에 갇혀 있음에도 불구하고 주 안에서 기뻐하고, 예수 그리스도의 겸손을 본받아 섬김의 삶을 살 것을 권면합니다. 이 책은 기쁨과 연합, 겸손을 통해 그리스도의 사랑을 세상에 드러내는 삶을 살아가도록 도와주는 귀한 편지입니다.

이학재 Lee Hakjae · Covenant University 부총장
· 월간 맛싸 대표 · 맛싸성경 번역자 · 언약성경협회장

성경은 말씀으로 읽고 소리내서 낭독하는 훈련이 필요하다. 또한 성경은 precept, 즉 글로 적은 글이다. 십계명도 하나님께서 적어 주신 것이고 구약성경, 신약성경 모두다 사람들이 손으로 필사하여 전해온 것이다. 특히 시편에서는 하나님의 말씀을 '호크'^{규례, 교훈}라고 부르는데 이것은 '하카크' 즉 '새기다, 기록하다'는 의미이다. 성경은 1455년에 라틴어를 출간하기까지 구약은 서기관들에 의해서 두루마리에 필사를 통해서 기록되었고 신약 역시 대문자, 소문자 등을 통해서 손으로 직접 적었다.

이같은 성경은 소리내 읽는 '낭독'과 글로 적는 '호크'^{precept}로 기록된 말씀이다. 물론 타자를 치는 필사를 비롯하여 다양한 방법이 있지만, 특히 AI 시대에는 주관성과 개인의 특성을 가진 영성이 품어 나오는 적기 성경 즉 '필사 성경'이 필요하다. 시중에 한글 필사성경, 영어 등은 이미 출판되어 있지만 원문 필사는 아직 나오지 않았다. 원문 필사를 위해서는 원문만 넣을 것이 아니라 한글의 공적성경^{개역, 개역개정}과 또한 사역이지만 원문에서 번역한 것이 필요한데 이런 면에서 '맛싸 성경'은 중요한 역할을 할 것이다. 아울러 영역본도 함께 제공되어 원문과 함께 번역본들을 보게 되고 자신의 필사 성경도 각권으로 남게 될 것이다.

성경을 적는다는 것은 참으로 중요하다. 기도하면서 성경에서도 달려가면서도 성경을 읽게 하라는 말씀은 성경에도 기록되어 있다^{하박국 2장}. 많은 사람들이 성경을 덮어두거나, '말아 놓았다'. 이제는 적어서 펼쳐 놓아야 한다. 이런 면에서 족자, 액자들 성경 원문 쓰기를 통해서 원문을 보고 묵상하고 더욱 말씀을 가시적으로 보며 그 말씀의 생명력을 가지는 삶을 살아야 할 것이다. 이 모든 것이 '적는 것'^{케타브}에서 시작된다. 이 시리즈는 구약 전권 신약 전권의 '쓰기', '적기'를 출간하는 것으로 생각하고 있다. 매일 일정한 양을 쓰면서 원문을 자유롭게 이해하고 원문의 바른 의미, 성경의 의미를 바르게 이해해서 말씀에 근거를 둔 그러한 건강한 말씀 중심의 삶을 살아가시기를 소원한다.

저자 이 학 재

허동보 Huh Dongbo · 수현교회 담임목사 · Covenant University 통합과정 중
· 왕초보 히브리어/헬라어 펜습자 저자

교회 역사는 대부분 이단으로부터 교회를 보호하는 역사였습니다. 사도들과 교부들의 가르침, 공의회를 통한 결정들은 우리 신앙의 선배들이 이단으로부터 교회를 지키고자 목숨까지 걸었던 몸부림이라고 해도 과언이 아닙니다. 그 신념, 그 몸부림의 근거는 바로 성경이었습니다. 하나님의 말씀이자 우리 신앙생활의 원천인 성경은 수천년이 지난 이 시대를 살아가는 우리가 쉽게 읽을 수 있도록 전문가들을 통해 비교적 잘 번역되어 있습니다. 그럼에도 불구하고 말씀을 사랑하고 매일 묵상하는 우리 그리스도인들이 히브리어와 헬라어를 배워야 하는 까닭은 무엇일까요?

첫째로 지금도 교회를 노리고 핍박하는 이들로부터 주님의 몸 된 교회를 지키기 위해서입니다. 아무리 번역이 잘 되었다고 하더라도 해당 언어가 가진 고유의 뉘앙스와 의미를 동일하게 전달하는 것은 불가능합니다. 따라서 우리는 원전을 살펴봄으로써 말씀에 대한 왜곡과 오해를 헤쳐 나가야 합니다. 둘째로 언어의 한계성 때문입니다. 성경이 쓰여진 시기의 사회적 배경과 문학적 장치들을 더 잘 전달받기 위해서 우리는 히브리어와 헬라어를 배워야 합니다. 우리는 해당 언어를 통해 한글성경에서 느끼기 힘든 시적 운율과 다양한 의미들을 더욱 세밀하게 들여다볼 수 있으며, 이 과정에서 더 큰 은혜를 느낄 수 있습니다. 셋째로 말씀을 사모하기 때문입니다. 다른 언어를 배운다는 것은 쉽지 않습니다. 그 어려움보다 말씀에 대한 사모가 더욱 간절하기에 우리는 기꺼이 시간과 노력을 할애할 수 있습니다. 이는 마치 해리포터를 사랑하는 사람이 영어를 배우고, 톨스토이를 사랑하는 사람이 러시아어를 배우는 것처럼 원전에 더 가까워지고자 하는 욕망은 말씀을 사모하는 이들이라면 거스를 수 없을 것입니다.

이런 관점에서 언약성경협회와 언약성경연구소의 사역은 하나님의 말씀을 열정적으로 소망하는 우리 그리스도인들에게 있어서 꼭 필요한, 그리고 꼭 이루어 나가야 할 사명이 아닌가 합니다. 이에 말씀을 사모하는 많은 분들이 케타브 프로젝트에 동참하길 소망합니다. 아울러 이학재 교수님을 통해 영광스럽게도 편집과 디자인으로 이 프로젝트에 동참하게 된 것에 대해 주님께 감사드립니다.

편집자

헬라어쓰기성경 활용법

이 책의 구조와 활용법에 대해 알려드립니다.

1. 왼쪽 페이지는 헬라어 성경인 Westcott-Hort Greek NT 와 더불어 맛싸성경과 함께 영문역본 NET2를 대조하였습니다.

   - 맛싸성경은 저자 이학재 박사가 원문성경에서 직접 번역한 번역물로 번역 저작물이 저작권협회에 접수된 개인 번역입니다.

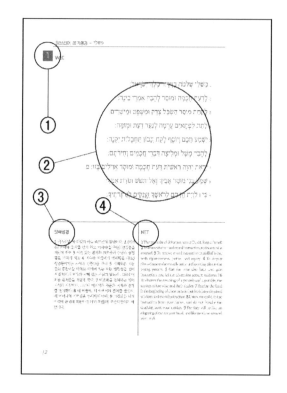

2. 왼쪽 페이지 좌상단에 위치한 숫자는 각 장을 말합니다. 각 절은 본문에 포함되어 있습니다.

   ① 몇 장인지 나타냅니다.
   ② 헬라어 본문입니다.
   ③ 맛싸성경 본문입니다.
   ④ NET2 본문입니다.

3. 여백을 넉넉히 두어 필사와 함께 성경공부를 위한 노트로 사용할 수 있습니다.

* 헬라어쓰기성경을 통해 하나님의 은혜가 더욱 풍성하고 가득한 신앙의 여정이 되시길 소망합니다.

헬라어 알파벳

대문자	소문자	이 름	대문자	소문자	이 름
A	α	알파	N	ν	뉘
B	β	베타	Ξ	ξ	크시
Γ	γ	감마	O	ο	오미크론
Δ	δ	델타	Π	π	피
E	ε	엡실론	P	ρ	로
Z	ζ	제타	Σ	σ / ς	시그마
H	η	에타	T	τ	타우
Θ	θ	테타	Y	υ	윕실론
I	ι	이오타	Φ	φ	퓌
K	κ	캅파	X	χ	키
Λ	λ	람다	Ψ	ψ	프시
M	μ	뮈	Ω	ω	오메가

헬라어 모음 vowel

구분 〵 계열	|아| 계열	|에| 계열	|이| 계열	|오| 계열	|우| 계열
단모음	α	ε	ι	ο	υ
장모음	α	η	ι	ω	υ
ι ^(이오타) 하기	ᾳ	ῃ		ῳ	
그 외 이중모음	αι αυ [아이] [아우]	ει ευ [에이] [유]		οι ου [오이] [우]	υι [위]

헬라어 모음은 위 표를 보면 알 수 있듯이 전혀 어려울 것이 없습니다. '아, 에, 이, 오, 우'만 잘 외우고 있으면 됩니다. 구체적인 발음은 『왕초보 헬라어 펜습자』(허동보 저) 제 2 장 헬라어 모음편을 참조하세요.

약숨표 smooth breathing	ἀ[아] ἐ[에] ἰ[이] ὀ[오] ὐ[우] ἠ[에] ὠ[오]
강숨표 rough breathing	ἁ[하] ἑ[헤] ἱ[히] ὁ[호] ὑ[후] ἡ[헤] ὡ[호]

■ 꼭 기억해야 하는 **'숨표'** breathings   , ʽ

헬라어 모음에서 정말 중요한 것 한 가지가 더 있습니다. 바로 숨표 breathings 입니다. 숨표에는 '강숨표' rough breathing 와 '약숨표' smooth breathing 가 있습니다. 일반적으로는 약숨표가 주로 사용되지만, 종종 강숨표가 붙은 단어들이 등장합니다. 약숨표가 붙은 단어는 원래 음가 그대로 읽어주면 되지만, 강숨표가 붙은 단어는 'ㅎ'[h] 발음을 넣어서 이름 그대로 '거칠게' rough 읽어줍니다. 이중모음에서 숨표는 뒷 글자에 붙으며, 약숨표와 강숨표는 같은 모양, 반대 방향입니다. 가령 '날' day 을 의미하는 *ἡμέρα* 라는 단어는 '에메라'가 아니라 '헤메라'로 읽습니다. 작은 따옴표처럼 생긴 저 숨표를 잘 체크해야 합니다.

Πρός Φιλιππησίους

-빌립보서-

1 Westcott-Hort Greek NT

1 Παῦλος καὶ Τιμόθεος δοῦλοι Χριστοῦ Ἰησοῦ πᾶσιν τοῖς ἁγίοις ἐν Χριστῷ Ἰησοῦ τοῖς οὖσιν ἐν Φιλίπποις σὺν ἐπισκόποις καὶ διακόνοις,

2 χάρις ὑμῖν καὶ εἰρήνη ἀπὸ θεοῦ πατρὸς ἡμῶν καὶ κυρίου Ἰησοῦ Χριστοῦ.

맛싸성경

1 예수 그리스도의 종들인 바울과 디모데는 빌립보에 있는 그리스도 예수 안에 있는 모든 거룩한 자들과 또한 감독들과 집사들에게 (편지하노니/문안하노니) 2 우리 아버지 하나님과 예수 그리스도 주님께로부터 은혜와 평안이 있기를 (원한다).

NET

1 From Paul and Timothy, slaves of Christ Jesus, to all the saints in Christ Jesus who are in Philippi, with the overseers and deacons. 2 Grace and peace to you from God our Father and the Lord Jesus Christ!

3 Εὐχαριστῶ τῷ θεῷ μου ἐπὶ πάσῃ τῇ μνείᾳ ὑμῶν.

4 πάντοτε ἐν πάσῃ δεήσει μου ὑπὲρ πάντων ὑμῶν, μετὰ χαρᾶς τὴν δέησιν ποιούμενος,

5 ἐπὶ τῇ κοινωνίᾳ ὑμῶν εἰς τὸ εὐαγγέλιον ἀπὸ τῆς πρώτης ἡμέρας ἄχρι τοῦ νῦν.

6 πεποιθὼς αὐτὸ τοῦτο ὅτι ὁ ἐναρξάμενος ἐν ὑμῖν ἔργον ἀγαθὸν ἐπιτελέσει ἄχρις ἡμέρας Ἰησοῦ Χριστοῦ·

맛싸성경

3 나는 너희에 (대한) 모든 기억에서 나의 하나님께 감사한다. 4 항상 나의 모든 간구에서 너희 모두를 위하여 기쁨으로 간구를 하고 있으니, 5 첫날부터 지금까지 복음을 위하여 너희(가) 교제하였음이라. 6 바로 이것을 확신하노니 너희 안에 좋은 일을 시작하신 그분이 그리스도 예수의 날까지 완수하실 것이라는 것이다.

NET

3 I thank my God every time I remember you. 4 I always pray with joy in my every prior of your participation in the gospel from the first day until now. 6 For I am sure of this very thing, that the one who began a good work in you will perfect it until the day of Christ Jesus.

7 καθώς ἐστιν δίκαιον ἐμοὶ τοῦτο φρονεῖν ὑπὲρ πάντων ὑμῶν διὰ τὸ ἔχειν με ἐν τῇ καρδίᾳ ὑμᾶς, ἔν τε τοῖς δεσμοῖς μου καὶ ἐν τῇ ἀπολογίᾳ καὶ βεβαιώσει τοῦ εὐαγγελίου συγκοινωνούς μου τῆς χάριτος πάντας ὑμᾶς ὄντας.

맛싸성경

7 이같이 너희 모두를 위하여 이것을 생각하는 것이 올바른 것이니, 마음으로 내가 너희를 가지고 있기 때문이며, 나의 속박과 복음의 변호와 확증으로 너희 모두는 나와 함께 은혜의(로) 참여한 자들이기 (때문이다).

NET

7 For it is right for me to think this about all of you, because I have you in my heart, since both in my imprisonment and in the defense and confirmation of the gospel all of you became partners in God's grace together with me.

8 μάρτυς γάρ μου ὁ θεὸς ὡς ἐπιποθῶ πάντας ὑμᾶς ἐν σπλάγχνοις Χριστοῦ Ἰησοῦ.

9 καὶ τοῦτο προσεύχομαι ἵνα ἡ ἀγάπη ὑμῶν ἔτι μᾶλλον καὶ μᾶλλον περισσεύῃ ἐν ἐπιγνώσει καὶ πάσῃ αἰσθήσει.

10 εἰς τὸ δοκιμάζειν ὑμᾶς τὰ διαφέροντα, ἵνα ἦτε εἰλικρινεῖς καὶ ἀπρόσκοποι εἰς ἡμέραν Χριστοῦ,

11 πεπληρωμένοι καρπὸν δικαιοσύνης τὸν διὰ Ἰησοῦ Χριστοῦ εἰς δόξαν καὶ ἔπαινον θεοῦ.

맛싸성경

8 이러므로 하나님이 내 증인이시니, 내가 너희 모두를 예수 그리스도의 심장으로 사모하는 것 같으며, 9 그리고 내가 이것을 기도하니 그래서 너희 사랑이 지식과 모든 지각에서 점점 더 더욱 충만해져서 10 너희가 다른 것들을 분별하게 되고 그래서 너희는 그리스도의 날에 (이르기)까지 순수하고 흠 없게 되고 11 예수 그리스도를 통하여 의의 열매들이 가득하게 되어져서 하나님의 영광과 찬송으로 이르기를 바란다.

NET

8 For God is my witness that I long for all of you with the affection of Christ Jesus. 9 And I pray this, that your love may abound even more and more in knowledge and every kind of insight 10 so that you can decide what is best, and thus be sincere and blameless for the day of Christ, 11 filled with the fruit of righteousness that comes through Jesus Christ to the glory and praise of God.

1 Westcott-Hort Greek NT

12 Γινώσκειν δὲ ὑμᾶς βούλομαι, ἀδελφοί, ὅτι τὰ κατ᾽ ἐμὲ μᾶλλον εἰς προκοπὴν τοῦ εὐαγγελίου ἐλήλυθεν,

13 ὥστε τοὺς δεσμούς μου φανεροὺς ἐν Χριστῷ γενέσθαι ἐν ὅλῳ τῷ πραιτωρίῳ καὶ τοῖς λοιποῖς πάσιν,

14 καὶ τοὺς πλείονας τῶν ἀδελφῶν ἐν κυρίῳ πεποιθότας τοῖς δεσμοῖς μου περισσοτέρως τολμᾶν ἀφόβως τὸν λόγον τοῦ θεοῦ λαλεῖν.

맛싸성경

12 그러나 형제들아! 너희가 알기를 원하노니 내게 관련된 일들이 더 많이 복음의 진전으로 진행된 것이다. 13 그러므로 그리스도 안에서 나의 속박이 모든 호위대와 모든 남은 자들 안에서 명백하게 나타나지게 되었고 14 또 그리스도 안에서 형제들의 많은 자들이 나의 속박으로 확신을 가지고 그 말씀을 말하는 것을 두려움 없이 훨씬 더 용기를 가졌다.

NET

12 I want you to know, brothers and sisters, that my situation has actually turned out to advance the gospel: 13 The whole imperial guard and everyone else knows that I am in prison for the sake of Christ, 14 and most of the brothers and sisters, having confidence in the Lord because of my imprisonment, now more than ever dare to speak the word fearlessly.

15 Τινὲς μὲν καὶ διὰ φθόνον καὶ ἔριν, τινὲς δὲ καὶ δι' εὐδοκίαν τὸν Χριστὸν κηρύσσουσιν·

16 οἱ μὲν ἐξ ἀγάπης εἰδότες ὅτι εἰς ἀπολογίαν τοῦ εὐαγγελίου κεῖμαι,

17 οἱ δὲ ἐξ ἐριθείας τὸν Χριστὸν καταγγέλλουσιν, οὐχ ἁγνῶς οἰόμενοι θλῖψιν ἐγείρειν τοῖς δεσμοῖς μου.

18 τί γάρ; πλὴν ὅτι παντὶ τρόπῳ εἴτε προφάσει εἴτε ἀληθείᾳ, Χριστὸς καταγγέλλεται καὶ ἐν τούτῳ χαίρω. ἀλλὰ καὶ χαρήσομαι,

19 οἶδα γὰρ ὅτι τοῦτό μοι ἀποβήσεται εἰς σωτηρίαν διὰ τῆς ὑμῶν δεήσεως καὶ ἐπιχορηγίας τοῦ πνεύματος Ἰησοῦ Χριστοῦ.

맛싸성경

15 어떤 자들은 한편으로 시기와 싸움으로, 그러나 어떤 자들은 그리스도를 좋은 뜻을 인하여 (복음을) 선포한다. 16 사랑에서 (전)하는 자들은 다른 편으로 내가 복음의 변호를 위하여 일임되었다는 것을 알고 있다. 17 그러나 이기심에서 그리스도를 선포하는 자들은 신실하지 않아서, 나의 속박에 고통을 더하려고 생각한다. 18 그러면 무엇이냐? 허영이나 진실이나, 모든 방법에도 그리스도가 전파되어지면 또한 이것으로 나는 기뻐하고 참으로 나는 기뻐할 것이니, 19 이는 내가 아는 것이니 이것이 나에게 너희 간구와 예수 그리스도의 성령의 도우심으로 구원까지 이르게 될 것이다.

NET

15 Some, to be sure, are preaching Christ from envy and rivalry, but others from goodwill. 16 The latter do so from love because they know that I am placed here for the defense of the gospel. 17 The former proclaim Christ from selfish ambition, not sincerely, because they think they can cause trouble for me in my imprisonment. 18 What is the result? Only that in every way, whether in pretense or in truth, Christ is being proclaimed, and in this I rejoice. Yes, and I will continue to rejoice, 19 for I know that this will turn out for my deliverance through your prayers and the help of the Spirit of Jesus Christ.

20 κατὰ τὴν ἀποκαραδοκίαν καὶ ἐλπίδα μου, ὅτι ἐν οὐδενὶ αἰσχυνθήσομαι ἀλλ' ἐν πάσῃ παρρησίᾳ ὡς πάντοτε καὶ νῦν μεγαλυνθήσεται Χριστὸς ἐν τῷ σώματι μου, εἴτε διὰ ζωῆς εἴτε διὰ θανάτου.

21 ἐμοὶ γὰρ τὸ ζῆν Χριστὸς καὶ τὸ ἀποθανεῖν κέρδος.

맛싸성경

20 나의 간절한 기대와 소망을 따라서 어떤 것에도 부끄러워하지 않고, 오히려 모든 것에 담대함으로 항상 그런 것 같이 그리고 지금도 삶을 통해서나 죽음을 통해서, 그리스도가 내 육체 안에서 존귀해지게 되는 것이라. 21 이러므로 내게 사는 것이 그리스도이시니, 그래서 죽는 것도 유익이다.

NET

20 My confident hope is that I will in no way be ashamed but that with complete boldness, even now as always, Christ will be exalted in my body, whether I live or die. 21 For to me, living is Christ and dying is gain.

22 εἰ δὲ τὸ ζῆν ἐν σαρκί, τοῦτο μοι καρπὸς ἔργου, καὶ τί αἱρήσομαι οὐ γνωρίζω.

23 συνέχομαι δὲ ἐκ τῶν δύο, τὴν ἐπιθυμίαν ἔχων εἰς τὸ ἀναλῦσαι καὶ σὺν Χριστῷ εἶναι, πολλῷ γὰρ μᾶλλον κρεῖσσον·

24 τὸ δὲ ἐπιμένειν τῇ σαρκὶ ἀναγκαιότερον δι' ὑμᾶς.

25 καὶ τοῦτο πεποιθὼς οἶδα ὅτι μενῶ καὶ παραμενῶ πᾶσιν ὑμῖν εἰς τὴν ὑμῶν προκοπὴν καὶ χαρὰν τῆς πίστεως,

26 ἵνα τὸ καύχημα ὑμῶν περισσεύῃ ἐν Χριστῷ Ἰησοῦ ἐν ἐμοὶ διὰ τῆς ἐμῆς παρουσίας πάλιν πρὸς ὑμᾶς.

맛싸성경

22 그러나 만일 내가 육체로 산다면, 이것이 나에게서 일의 열매이니, 또 무엇을 선택할지 나는 알게 하지 못한다. 23 그러나 나는 이 두 가지에서부터 눌려 있으니 간절한 소망을 가지고는 떠나려고 그리스도와 함께 있는 것이 더 좋으나 24 그러나 육체 안에서 너희를 위하여 거하는 것이 필요하다. 25 또 이것을 확신하노니 내가 아는 것은 내가 거할 것이며, 너희의 전진과 믿음의 기쁨을 위하여 너희 모두와 (함께) 살아남아 있을 것이라는 것이다. 26 그리하여 너희 자랑이 내 안에서 다시 너희에게 그리스도 예수 안에서 나의 방문을 통하여 충만하기를 원한다.

NET

22 Now if I am to go on living in the body, this will mean productive work for me, yet I don't know which I prefer: 23 I feel torn between the two because I have a desire to depart and be with Christ, which is better by far, 24 but it is more vital for your sake that I remain in the body. 25 And since I am sure of this, I know that I will remain and continue with all of you for the sake of your progress and joy in the faith, 26 so that what you can be proud of may increase because of me in Christ Jesus, when I come back to you.

27 Μόνον ἀξίως τοῦ εὐαγγελίου τοῦ Χριστοῦ πολιτεύεσθε, ἵνα εἴτε ἐλθὼν καὶ ἰδὼν ὑμᾶς εἴτε ἀπὼν ἀκούω τὰ περὶ ὑμῶν, ὅτι στήκετε ἐν ἑνὶ πνεύματι, μιᾷ ψυχῇ συναθλοῦντες τῇ πίστει τοῦ εὐαγγελίου.

28 καὶ μὴ πτυρόμενοι ἐν μηδενὶ ὑπὸ τῶν ἀντικειμένων, ἥτις ἐστὶν αὐτοῖς ἔνδειξις ἀπωλείας, ὑμῶν δὲ σωτηρίας. καὶ τοῦτο ἀπὸ θεοῦ·

29 ὅτι ὑμῖν ἐχαρίσθη τὸ ὑπὲρ Χριστοῦ, οὐ μόνον τὸ εἰς αὐτὸν πιστεύειν ἀλλὰ καὶ τὸ ὑπὲρ αὐτοῦ πάσχειν,

30 τὸν αὐτὸν ἀγῶνα ἔχοντες, οἷον εἴδετε ἐν ἐμοὶ καὶ νῦν ἀκούετε ἐν ἐμοί.

맛싸성경

27 오직 너희는 그리스도 복음의 가치 있는 시민으로 행동하여라. 그래서 내가 가서 너희를 보거나, 떠나 있거나, 내가 너희에 대해서 모든 것들을 들을 때 너희로 한 영으로 서 있도록 하며, 한 마음으로 복음의 믿음을 위하여 함께 싸우려 함이다. 28 또 대적하는 자들에 의해서 너희는 아무도 두려워하지 말 것이니, 이것은 그들에게 멸망의 증거이나, (그러나) 너희에게는 구원으로 그리고 이것은 하나님께로부터 온 것이다. 29 또 그리스도를 위하여 너희에게 은혜로 주어진 것은 단지 그분을 믿을 뿐만 아니라, 오히려 그분을 위하여 고난도 받으려 함이다. 30 같은 싸움을 하고(가지고) 있으니, 내 안에서 너희가 보는 것 같은 것이며, 또한 이제 내 안에서 너희가 듣는 것이다.

NET

27 Only conduct yourselves in a manner worthy of the gospel of Christ so that—whether I come and see you or whether I remain absent—I should hear that you are standing firm in one spirit, with one mind, by contending side by side for the faith of the gospel, 28 and by not being intimidated in any way by your opponents. This is a sign of their destruction, but of your salvation—a sign which is from God. 29 For it has been granted to you not only to believe in Christ but also to suffer for him, 30 since you are encountering the same conflict that you saw me face and now hear that I am facing.

1 Εἴ τις οὖν παράκλησις ἐν Χριστῷ εἴ τι παραμύθιον ἀγάπης, εἴ τις κοινωνία πνεύματος, εἴ τις σπλάγχνα καὶ οἰκτιρμοί,

2 πληρώσατε μου τὴν χαρὰν ἵνα τὸ αὐτὸ φρονῆτε, τὴν αὐτὴν ἀγάπην ἔχοντες, σύμψυχοι, τὸ ἓν φρονοῦντες,

3 μηδὲν κατ' ἐριθείαν μηδὲ κατὰ κενοδοξίαν, ἀλλὰ τῇ ταπεινοφροσύνῃ ἀλλήλους ἡγούμενοι ὑπερέχοντας ἑαυτῶν,

4 μὴ τὰ ἑαυτῶν ἕκαστοι σκοποῦντες, ἀλλὰ καὶ τὰ ἑτέρων ἕκαστοι.

5 τοῦτο φρονεῖτε ἐν ὑμῖν ὃ καὶ ἐν Χριστῷ Ἰησοῦ,

맛싸성경

1 그러므로 만일 그리스도 안에서 어떤 격려나, 만일 어떤 사람의 위로나, 만일 어떤 성령의 교제나, 만일 어떤 애정이나, 또 긍휼함이 있으면, 2 너희는 내 기쁨을 충만하게 하여, 그래서 같은 (이)것을 생각할 것이나 같은 사랑을 가지며, 마음을 함께하고, 하나를 생각하여, 3 아무도 이기심을 따르거나 혹은 헛된 자랑을 따르지 말고, 오히려 다른 사람들을 자신보다 낫다고 여기는 겸손함으로 하며, 4 자기 자신의 것들만 각자 응시하지 말고, 오히려 다른 사람의 것들을 (응시하라). 5 이러므로 너희는 이것을 너희 안에 생각할 것이니, 그것은 또한 그리스도 예수 안에 있는 것이라.

NET

1 Therefore, if there is any encouragement in Christ, any comfort provided by love, any fellowship in the Spirit, any affection or mercy, 2 complete my joy and be of the same mind, by having the same love, being united in spirit, and having one purpose. 3 Instead of being motivated by selfish ambition or vanity, each of you should, in humility, be moved to treat one another as more important than yourself. 4 Each of you should be concerned not only about your own interests, but about the interests of others as well. 5 You should have the same attitude toward one another that Christ Jesus had,

6 ὃς ἐν μορφῇ θεοῦ ὑπάρχων οὐχ ἁρπαγμὸν ἡγήσατο τὸ εἶναι ἴσα θεῷ,

7 ἀλλὰ ἑαυτὸν ἐκένωσεν μορφὴν δούλου λαβών, ἐν ὁμοιώματι ἀνθρώπων γενόμενος· καὶ σχήματι εὑρεθεὶς ὡς ἄνθρωπος.

8 ἐταπείνωσεν ἑαυτὸν γενόμενος ὑπήκοος μέχρι θανάτου, θανάτου δὲ σταυροῦ.

9 διὸ καὶ ὁ θεὸς αὐτὸν ὑπερύψωσεν καὶ ἐχαρίσατο αὐτῷ τὸ ὄνομα τὸ ὑπὲρ πᾶν ὄνομα,

10 ἵνα ἐν τῷ ὀνόματι Ἰησοῦ πᾶν γόνυ κάμψῃ ἐπουρανίων καὶ ἐπιγείων καὶ καταχθονίων.

11 καὶ πᾶσα γλῶσσα ἐξομολογήσηται ὅτι κύριος Ἰησοῦς Χριστὸς εἰς δόξαν θεοῦ πατρός.

맛싸성경

6 그분은 하나님의 모습으로 존재하시나, 하나님으로 동등하게 되려는 것을 붙잡는 것으로 여기지 않으셨으며, 7 오히려 자신을 비우셨고 종의 모습을 취하시고, 사람들의 모양(같이)이 되셨으니, 8 또 사람 같이 외관으로 나타나셨고, 자신을 낮추셔서 죽음까지 곧 십자가의 죽음(까지) 순종하셨다. 9 그러므로 또한 하나님이 그분을 가장 높이셨으며 또 그(분)에게 모든 이름 위에 있는 이름을 수여하셨으며, 10 그래서 예수 그리스도 이름 안에서 모든 무릎을 꿇게 하였으니 (그들은) 하늘에 있는 자들과 땅에 있는 자들과 땅 아래 있는 자들이다. 11 그리고 모든 혀들로 아버지 하나님의 영광을 위하여 예수 그리스도는 주님이라는 것을 고백하게 하려함이다.

NET

6 who, though he existed in the form of God, did not regard equality with God as something to be grasped, 7 but emptied himself by taking on the form of a slave, by looking like other men, and by sharing in human nature. 8 He humbled himself by becoming obedient to the point of death—even death on a cross! 9 As a result God highly exalted him and gave him the name that is above every name, 10 so that at the name of Jesus every knee will bow —in heaven and on earth and under the earth— 11 and every tongue confess that Jesus Christ is Lord to the glory of God the Father.

2 Westcott-Hort Greek NT

12 Ὥστε ἀγαπητοί μου, καθὼς πάντοτε ὑπηκούσατε, μὴ [ὡς] ἐν τῇ παρουσίᾳ μου μόνον ἀλλὰ νῦν πολλῷ μᾶλλον ἐν τῇ ἀπουσίᾳ μου, μετὰ φόβου καὶ τρόμου τὴν ἑαυτῶν σωτηρίαν κατεργάζεσθε·

13 θεὸς γάρ ἐστιν ὁ ἐνεργῶν ἐν ὑμῖν καὶ τὸ θέλειν καὶ τὸ ἐνεργεῖν ὑπὲρ τῆς εὐδοκίας.

14 πάντα ποιεῖτε χωρὶς γογγυσμῶν καὶ διαλογισμῶν,

15 ἵνα γένησθε ἄμεμπτοι καὶ ἀκέραιοι τέκνα θεοῦ ἄμωμα μέσον γενεᾶς σκολιᾶς καὶ διεστραμμένης, ἐν οἷς φαίνεσθε ὡς φωστῆρες ἐν κόσμῳ,

16 λόγον ζωῆς ἐπέχοντες εἰς καύχημα ἐμοὶ εἰς ἡμέραν Χριστοῦ, ὅτι οὐκ εἰς κενὸν ἔδραμον οὐδὲ εἰς κενὸν ἐκοπίασα.

맛싸성경

12 그러므로, 내 사랑하는 자들아! 항상 순종한 것과 같이 단지 나의 방문 같은 것이 아니라, 그러나 이제 나의 부재에도 이제 더욱더 두려움으로 너희 구원을 완수하여라. 13 이러므로 너희 안에서 일하시는 분은 하나님이시니, 선한 뜻을 위하여 원하고 또한 일하게 하시니, 14 너희는 모든 것을 불평과 논쟁이 없게 행하라. 15 그리하여 너희로 흠 없고 또 순수하게 되어, 구부러지고 타락한 세대 가운데서 흠 없는 하나님의 자녀들로 세상에서 발광체 같이 그들 가운데서 너희가 빛을 내게 하려 함이다. 16 생명의 말씀을 붙잡아서 그리스도의 날에 나에게 자랑하기 위함이며, 그래서 나는 헛되게 달리지 않고, 또한 헛되게 수고하지도 않게 하려 함이다.

NET

12 So then, my dear friends, just as you have always obeyed, not only in my presence but even more in my absence, continue working out your salvation with awe and reverence, 13 for the one bringing forth in you both the desire and the effort—for the sake of his good pleasure—is God. 14 Do everything without grumbling or arguing, 15 so that you may be blameless and pure, children of God without blemish though you live in a crooked and perverse society, in which you shine as lights in the world 16 by holding on to the word of life so that on the day of Christ I will have a reason to boast: that I did not run in vain nor labor in vain.

17 ἀλλὰ εἰ καὶ σπένδομαι ἐπὶ τῇ θυσίᾳ καὶ λειτουργίᾳ τῆς

πίστεως ὑμῶν, χαίρω καὶ συγχαίρω πᾶσιν ὑμῖν·

18 τὸ δὲ αὐτὸ καὶ ὑμεῖς χαίρετε καὶ συγχαίρετέ μοι.

맛싸성경

17 그러나 또 만일 내가 너희 믿음의 제물과 봉사에 (붓는 제물로) 부어져도 나는 기뻐하고 또 너희 모두와 함께 즐거워할 것이다. 18 그래서 이것으로 너희는 나와 기뻐하고 나와 함께 즐거워하여라.

NET

17 But even if I am being poured out like a drink offering on the sacrifice and service of your faith, I am glad and rejoice together with all of you. 18 And in the same way you also should be glad and rejoice together with me.

19 Ἐλπίζω δὲ ἐν κυρίῳ Ἰησοῦ Τιμόθεον ταχέως πέμψαι ὑμῖν, ἵνα κἀγὼ εὐψυχῶ γνοὺς τὰ περὶ ὑμῶν.

20 οὐδένα γὰρ ἔχω ἰσόψυχον, ὅστις γνησίως τὰ περὶ ὑμῶν μεριμνήσει·

21 οἱ πάντες γὰρ τὰ ἑαυτῶν ζητοῦσιν, οὐ τὰ Χριστοῦ Ἰησοῦ.

22 τὴν δὲ δοκιμὴν αὐτοῦ γινώσκετε, ὅτι ὡς πατρὶ τέκνον σὺν ἐμοὶ ἐδούλευσεν εἰς τὸ εὐαγγέλιον.

23 τοῦτον μὲν οὖν ἐλπίζω πέμψαι ὡς ἂν ἀφίδω τὰ περὶ ἐμὲ ἐξαυτῆς·

24 πέποιθα δὲ ἐν κυρίῳ ὅτι καὶ αὐτὸς ταχέως ἐλεύσομαι.

맛싸성경

19 그러나 나는 주님 예수 안에서 소망하며, 빨리 디모데를 너희에게 보내려고 하여 그래서 내가 위로를 받고 내가 너희에 대한 모든 것들을 알려고 함이다. 20 이러므로 나와 같은 마음을 가진 어떤 자도 (없어서) 그가 신실하게 너희에 대한 일들을 염려할 것이다. 21 이러므로 모든 자들이 자신의 것들을 구하나 그리스도 예수의 것들을 (구하지) 않는다. 22 그러나 너희는 그의 인정(받은 것)을 아니, 또 자녀가 아버지(에게 함) 같이 나와 함께 복음을 위하여 그는 섬겼다. 23 그러므로 나는 이 자(사람)를 보내기를 소망하니, 나에 관한 일들을 즉시 주목하라. 24 그래서 주 안에서 확신하니, 또 내 자신도 곧 갈 것이다.

NET

19 Now I hope in the Lord Jesus to send Timothy to you soon, so that I, too, may be encouraged by hearing news about you. 20 For there is no one here like him who will readily demonstrate his deep concern for you. 21 Others are busy with their own concerns, not those of Jesus Christ. 22 But you know his qualifications that like a son working with his father, he served with me in advancing the gospel. 23 So I hope to send him as soon as I know more about my situation, 24 though I am confident in the Lord that I, too, will be coming to see you soon.

25 Ἀναγκαῖον δὲ ἡγησάμην Ἐπαφρόδιτον τὸν ἀδελφὸν καὶ συνεργὸν καὶ συστρατιώτην μου, ὑμῶν δὲ ἀπόστολον καὶ λειτουργὸν τῆς χρείας μου, πέμψαι πρὸς ὑμᾶς,

26 ἐπειδὴ ἐπιποθῶν ἦν πάντας ὑμᾶς [ἰδεῖν] καὶ ἀδημονῶν, διότι ἠκούσατε ὅτι ἠσθένησεν.

27 καὶ γὰρ ἠσθένησεν παραπλήσιον θανάτου· ἀλλὰ ὁ θεὸς ἠλέησεν αὐτόν, οὐκ αὐτὸν δὲ μόνον ἀλλὰ καὶ ἐμέ, ἵνα μὴ λύπην ἐπὶ λύπην σχῶ.

맛싸성경

25 그러나 형제 에파프로디토, 곧 동역자이며 나와 함께 군사인 자를 필요한 줄로 생각하는데, 너희 전달자이며 내 필요의 섬기는 자이니, 내가 너희에게 보내려고 한다. 26 그가 너희 모두를 사모하였기 때문에 그리고 걱정하게 하였으니, 그가 병들었던 것을 너희가 들었기 때문이다. 27 그리고 이는 그가 죽음에 근접하도록 병들었으나, 그러나 하나님께서 그를 긍휼히 여기셨고, 단지 그뿐만 아니라 나도 그렇게 하였으니, 그래서 근심에 근심을 내가 가지지 않게 하셨다.

NET

25 But for now I have considered it necessary to send Epaphroditus to you. For he is my brother, coworker and fellow soldier, and your messenger and minister to me in my need. 26 Indeed, he greatly missed all of you and was distressed because you heard that he had been ill. 27 In fact he became so ill that he nearly died. But God showed mercy to him—and not to him only, but also to me—so that I would not have grief on top of grief.

28 σπουδαιοτέρως οὖν ἔπεμψα αὐτόν, ἵνα ἰδόντες αὐτὸν πάλιν χαρῆτε κἀγὼ ἀλυπότερος ὦ.

29 προσδέχεσθε οὖν αὐτὸν ἐν κυρίῳ μετὰ πάσης χαρᾶς καὶ τοὺς τοιούτους ἐντίμους ἔχετε,

30 ὅτι διὰ τὸ ἔργον κυρίου μέχρι θανάτου ἤγγισεν παραβολευσάμενος τῇ ψυχῇ, ἵνα ἀναπληρώσῃ τὸ ὑμῶν ὑστέρημα τῆς πρός με λειτουργίας.

맛싸성경

28 그러므로 내가 그를 보내기를 애썼으니, 그리하여 그를 다시 볼 때 너희로 기뻐하고 또 나도 또한 내가 있는 근심을 덜려고 함이다. 29 그러므로 주 안에서 모든 기쁨과 함께 그를 영접하고 또 이와 같은 자들을 존귀하게 너희는 받아라. 30 그리스도의 일을 위하여 그가 죽음에 이르렀던 것이며, 생명이 위태로웠다. 그리하여 나에게 너희 봉사의 필요를 그는 채우려 하였다.

NET

28 Therefore I am all the more eager to send him, so that when you see him again you can rejoice and I can be free from anxiety. 29 So welcome him in the Lord with great joy, and honor people like him, 30 since it was because of the work of Christ that he almost died. He risked his life so that he could make up for your inability to serve me.

3 Westcott-Hort Greek NT

1 Τὸ λοιπόν, ἀδελφοι μου, χαίρετε ἐν κυρίῳ. τὰ αὐτὰ γράφειν ὑμῖν ἐμοὶ μὲν οὐκ ὀκνηρόν, ὑμῖν δὲ ἀσφαλές.

2 Βλέπετε τοὺς κύνας, βλέπετε τοὺς κακοὺς ἐργάτας, βλέπετε τὴν κατατομήν.

3 ἡμεῖς γάρ ἐσμεν ἡ περιτομή, οἱ πνεύματι θεοῦ λατρεύοντες καὶ καυχώμενοι ἐν Χριστῷ Ἰησοῦ καὶ οὐκ ἐν σαρκὶ πεποιθότες,

4 καίπερ ἐγὼ ἔχων πεποίθησιν καὶ ἐν σαρκί. εἴ τις δοκεῖ ἄλλος πεποιθέναι ἐν σαρκί, ἐγὼ μᾶλλον·

5 περιτομῇ ὀκταήμερος ἐκ γένους Ἰσραήλ, φυλῆς Βενιαμίν, Ἑβραῖος ἐξ Ἑβραίων, κατὰ νόμον Φαρισαῖος,

6 κατὰ ζῆλος διώκων τὴν ἐκκλησίαν, κατὰ δικαιοσύνην τὴν ἐν νόμῳ γενόμενος ἄμεμπτος.

맛싸성경

1 마지막으로 내 형제들아, 주안에서 기뻐하라. 이것들을 너희에게 내가 쓰는 것은 번거롭지 않고, 그러나 너희에게 확실한 것이다. 2 개들을 주의하고, 악을 행하자는 자들을 주의하며 (손해를 끼치는) 할례자를 주의하라. 3 이는 바로 우리가 할례 한 자들이니, 하나님의 영(성령)으로 섬기는 자들이며, 예수 그리스도 안에서 자랑하는 자들로 육신을 확신하지 않는다. 4 비록 나도 또한 육신으로도 확신을 가지고 있으니, 만일 다른 어떤 사람이 육신으로 확신하려고 한다면 나는 더욱 그러하다. 5 팔일째에 할례를 받고 이스라엘 후손에서부터 베냐민 지파로, 히브리인들에서부터 히브리인이며, 율법을 따라서는 바리새인이다. 6 열심을 따라서는 교회를 박해하였고, 의를 따라서는 율법 안에서 흠이 없었다.

NET

1 Finally, my brothers and sisters, rejoice in the Lord! To write this again is no trouble to me, and it is a safeguard for you. 2 Beware of the dogs, beware of the evil workers, beware of those who mutilate the flesh! 3 For we are the circumcision, the ones who worship by the Spirit of God, exult in Christ Jesus, and do not rely on human credentials 4 —though mine, too, are significant. If someone thinks he has good reasons to put confidence in human credentials, I have more: 5 I was circumcised on the eighth day, from the people of Israel and the tribe of Benjamin, a Hebrew of Hebrews. I lived according to the law as a Pharisee. 6 In my zeal for God I persecuted the church. According to the righteousness stipulated in the law I was blameless.

3 Westcott-Hort Greek NT

7 ἀλλὰ ἅτινα ἦν μοι κέρδη, ταῦτα ἥγημαι διὰ τὸν Χριστὸν ζημίαν.

8 ἀλλὰ μενοῦνγε καὶ ἡγοῦμαι πάντα ζημίαν εἶναι διὰ τὸ ὑπερέχον τῆς γνώσεως Χριστοῦ Ἰησοῦ τοῦ κυρίου μου, δι' ὃν τὰ πάντα ἐζημιώθην, καὶ ἡγοῦμαι σκύβαλα, ἵνα Χριστὸν κερδήσω.

9 καὶ εὑρεθῶ ἐν αὐτῷ, μὴ ἔχων ἐμὴν δικαιοσύνην τὴν ἐκ νόμου ἀλλὰ τὴν διὰ πίστεως Χριστοῦ, τὴν ἐκ θεοῦ δικαιοσύνην ἐπὶ τῇ πίστει,

10 τοῦ γνῶναι αὐτὸν καὶ τὴν δύναμιν τῆς ἀναστάσεως αὐτοῦ καὶ κοινωνίαν παθημάτων αὐτοῦ συμμορφιζόμενος τῷ θανάτῳ αὐτοῦ,

11 εἴ πως καταντήσω εἰς τὴν ἐξανάστασιν τὴν ἐκ νεκρῶν.

맛싸성경

7 그러나 무엇이든지 내게 유익이었던 것들, 그것들을 나는 그리스도를 인하여 손해로 여겼으니 8 아직도 더욱 또한 나는 모든 것들을 손해로 여기니, 내 주 그리스도 예수의 지식의 뛰어남을 인함이다. 내가 그분을 위하여 모든 것들을 손해를 보고, 또 쓰레기들이 되도록 여겨서 그리스도를 얻고자 하며, 9 그리고 그(분) 안에서 발견되려 하는 것이니, 내가 가진 의는 율법으로부터 (온/난) 것이 아니며, 오히려 그리스도를 믿음을 통하여, 믿음으로 하나님께로부터 (온/난) 것이기 때문이다. 10 그분을 알려고 하여 그리고 그분의 부활의 능력과 그리고 그분의 고난의 교제(를 알려고 하여) (곧) 그(분)의 죽으심에 함께 같은 모양을 취하여 11 내가 어떠하든지 죽은 자들에게서부터 부활에 이르려고 한다.

NET

7 But these assets I have come to regard as liabilities because of Christ. 8 More than that, I now regard all things as liabilities compared to the far greater value of knowing Christ Jesus my Lord, for whom I have suffered the loss of all things —indeed, I regard them as dung!— that I may gain Christ 9 and be found in him, not because I have my own righteousness derived from the law, but because I have the righteousness that comes by way of Christ's faithfulness—a righteousness from God that is in fact based on Christ's faithfulness. 10 My aim is to know him, to experience the power of his resurrection, to share in his sufferings, and to be like him in his death, 11 and so, somehow, to attain to the resurrection from the dead.

12 Οὐχ ὅτι ἤδη ἔλαβον ἢ ἤδη τετελείωμαι, διώκω δὲ εἰ καὶ καταλάβω, ἐφ' ᾧ καὶ κατελήμφθην ὑπὸ Χριστοῦ [Ἰησοῦ].

13 ἀδελφοί, ἐγὼ ἐμαυτὸν οὔπω λογίζομαι κατειληφέναι· ἐν δὲ, τὰ μὲν ὀπίσω ἐπιλανθανόμενος τοῖς δὲ ἔμπροσθεν ἐπεκτεινόμενος,

14 κατὰ σκοπὸν διώκω εἰς τὸ βραβεῖον τῆς ἄνω κλήσεως τοῦ θεοῦ ἐν Χριστῷ Ἰησοῦ.

15 ὅσοι οὖν τέλειοι, τοῦτο φρονῶμεν καὶ εἴ τι ἑτέρως φρονεῖτε, καὶ τοῦτο ὁ θεὸς ὑμῖν ἀποκαλύψει·

16 πλὴν εἰς ὃ ἐφθάσαμεν, τῷ αὐτῷ στοιχεῖν.

맛싸성경

12 이미 내가 가졌다 하거나, 이미 이루었다는 것이 아니라, 그러나 나는 추구하고 있고, 내가 또한 그것에서 붙잡으려고 하기 때문이니, 또 그리스도 예수에 의해서 나는 붙잡혀진 것이라. 13 형제들아! 나는 내 자신이 붙잡은 것으로 여기지 않고, 그러나 한 가지 (곧) 참으로 내 뒤에 있는 것은 잊어버리나, 내 앞에 있는 것들에 (잡으려고) 뻗어서, 14 그리스도 예수 안에서 위에서 하나님의 부르심의 상을 향하여 목표를 따라서 추구하노라. 15 그러므로 온전한 모든 자들은 이것을 생각할 것이니, 만일 누구든지 다르게 생각한다면, 하나님이 이것을 너희에게 드러내실 것이라. 16 그럼에도 우리가 쟁취하였어도, 이것을 따라가며 이것을 생각할 것이라.

NET

12 Not that I have already attained this—that is, I have not already been perfected—but I strive to lay hold of that for which Christ Jesus also laid hold of me. 13 Brothers and sisters, I do not consider myself to have attained this. Instead I am single-minded: Forgetting the things that are behind and reaching out for the things that are ahead, 14 with this goal in mind, I strive toward the prize of the upward call of God in Christ Jesus. 15 Therefore let those of us who are "perfect" embrace this point of view. If you think otherwise, God will reveal to you the error of your ways. 16 Nevertheless, let us live up to the standard that we have already attained.

17 Συμμιμηταί μου γίνεσθε, ἀδελφοί, καὶ σκοπεῖτε τοὺς οὕτω περιπατοῦντας καθὼς ἔχετε τύπον ἡμᾶς.

18 πολλοὶ γὰρ περιπατοῦσιν οὓς πολλάκις ἔλεγον ὑμῖν, νῦν δὲ καὶ κλαίων λέγω, τοὺς ἐχθροὺς τοῦ σταυροῦ τοῦ Χριστοῦ,

19 ὧν τὸ τέλος ἀπώλεια, ὧν ὁ θεὸς ἡ κοιλία καὶ ἡ δόξα ἐν τῇ αἰσχύνῃ αὐτῶν, οἱ τὰ ἐπίγεια φρονοῦντες.

20 ἡμῶν γὰρ τὸ πολίτευμα ἐν οὐρανοῖς ὑπάρχει, ἐξ οὗ καὶ σωτῆρα ἀπεκδεχόμεθα κύριον Ἰησοῦν Χριστόν,

21 ὃς μετασχηματίσει τὸ σῶμα τῆς ταπεινώσεως ἡμῶν σύμμορφον τῷ σώματι τῆς δόξης αὐτοῦ κατὰ τὴν ἐνέργειαν τοῦ δυνάσθαι αὐτὸν καὶ ὑποτάξαι αὐτῷ τὰ πάντα.

맛싸성경

17 형제들아! 너희는 나를 본받는 자가 되고, 또 너희가 우리를 모범으로 가진 것처럼 걷는 자들과 같이 잘 지켜보아라. 18 이러므로 많은 자들이 걷고 있으니, 내가 너희에게 종종 말한 것 같이(대로) 그리고 이제도 또한 울면서 말하니, 그들은 그리스도의 십자가의 대적자들이다. 19 그들의 마지막은 멸망이며, 그들의 신은 배이고, 그리고 영광은 그들의 수치이니, (이들은) 땅의 것들을 생각하는 자들이다. 20 이러므로 우리의 고국은 하늘에 있으니, 그것에서부터 그리고 구세주 주님 예수 그리스도를 간절히 기다린다. 21 그분의 영광의 몸 같은 형태로 능력의 역사하심을 따라서, 그분과 그리고 그에게 모든 것들이 복종하게 하심으로 그분은 우리의 낮은 지위를 변화시키실 것이라.

NET

17 Be imitators of me, brothers and sisters, and watch carefully those who are living this way, just as you have us as an example. 18 For many live, about whom I have often told you, and now, with tears, I tell you that they are the enemies of the cross of Christ. 19 Their end is destruction, their god is the belly, they exult in their shame, and they think about earthly things. 20 But our citizenship is in heaven—and we also eagerly await a savior from there, the Lord Jesus Christ, 21 who will transform these humble bodies of ours into the likeness of his glorious body by means of that power by which he is able to subject all things to himself.

4 Westcott–Hort Greek NT

1 Ὥστε, ἀδελφοί μου ἀγαπητοὶ καὶ ἐπιπόθητοι, χαρὰ καὶ στέφανος μου, οὕτως στήκετε ἐν κυρίῳ, ἀγαπητοί.

2 Εὐοδίαν παρακαλῶ καὶ Συντύχην παρακαλῶ τὸ αὐτὸ φρονεῖν ἐν κυρίῳ.

3 ναὶ ἐρωτῶ καὶ σέ, γνήσιε σύζυγε, συλλαμβάνου αὐταῖς, αἵτινες ἐν τῷ εὐαγγελίῳ συνήθλησάν μοι μετὰ καὶ Κλήμεντος καὶ τῶν λοιπῶν συνεργῶν μου, ὧν τὰ ὀνόματα ἐν βιβλῷ ζωῆς.

맛싸성경

1 그러므로 내 사랑하고 사모하는 형제들아, 내 기쁨과 왕관이여, 이렇게 주안에서 서라. 사랑하는 자들아! 2 유오디아를 권면하고 또 순투케를 내가 권면하노니 주 안에서 같은 것을 생각할 것이라. 3 참으로 내가 또한 네게 구하니 참다운 동료로 너는 그 여자들을 도우라. 그 여자들은 복음 안에서 나와 함께 까웠으니 클레멘트와 그리고 나의 남은 동역자들로 그들의 이름들이 생명의 책에 있음이다.

NET

1 So then, my brothers and sisters, dear friends whom I long to see, my joy and crown, stand in the Lord in this way, my dear friends! 2 I appeal to Euodia and to Syntyche to agree in the Lord. 3 Yes, I say also to you, true companion, help them. They have struggled together in the gospel ministry along with me and Clement and my other coworkers, whose names are in the book of life.

4 Westcott-Hort Greek NT

4 Χαίρετε ἐν κυρίῳ πάντοτε· πάλιν ἐρῶ, χαίρετε.

5 τὸ ἐπιεικὲς ὑμῶν γνωσθήτω πᾶσιν ἀνθρώποις. ὁ κύριος ἐγγύς.

6 μηδὲν μεριμνᾶτε, ἀλλ' ἐν παντὶ τῇ προσευχῇ καὶ τῇ δεήσει μετὰ εὐχαριστίας τὰ αἰτήματα ὑμῶν γνωριζέσθω πρὸς τὸν θεόν.

7 καὶ ἡ εἰρήνη τοῦ θεοῦ ἡ ὑπερέχουσα πάντα νοῦν φρουρήσει τὰς καρδίας ὑμῶν καὶ τὰ νοήματα ὑμῶν ἐν Χριστῷ Ἰησοῦ.

맛싸성경

4 너희는 주 안에서 항상 기뻐하라. 다시 내가 말할 것이니 너희는 기뻐하라! 5 너희 온화함이 모든 사람들에게 알려지게 하라. 주께서 가까우시니라. 6 어떤 것도 걱정하지 말고, 오히려 모든 것에 기도와 간구로, 감사(함)와 함께 너희 요구들을 하나님께 알려지게 하여라. 7 그러면 모든 생각을 능가하는 하나님의 그 평안이 너희 마음들과 너희 사고들을 보호하실 것이라.

NET

4 Rejoice in the Lord always. Again I say, rejoice! 5 Let everyone see your gentleness. The Lord is near! 6 Do not be anxious about anything. Instead, in every situation, through prayer and petition with thanksgiving, tell your requests to God. 7 And the peace of God that surpasses all understanding will guard your hearts and minds in Christ Jesus.

4 Westcott-Hort Greek NT

8 Τὸ λοιπόν, ἀδελφοί, ὅσα ἐστιν ἀληθῆ, ὅσα σεμνά, ὅσα δίκαια, ὅσα ἁγνά, ὅσα προσφιλῆ, ὅσα εὔφημα, εἴ τις ἀρετὴ καὶ εἴ τις ἔπαινος, ταῦτα λογίζεσθε·

9 ἃ καὶ ἐμάθετε καὶ παρελάβετε καὶ ἠκούσατε καὶ εἴδετε ἐν ἐμοί, ταῦτα πράσσετε· καὶ ὁ θεὸς τῆς εἰρήνης ἔσται μεθ' ὑμῶν.

맛싸성경

8 마지막으로, 형제들아! 모든 것에 참되며, 모든 것에 존경받으며, 모든 것에 의롭고, 모든 것에 거룩하고, 모든 것에 기쁘게 하며, 모든 것에 칭찬받을만 하며, 만일 어떤 덕이나, 어떤 칭찬이나 이것들을 고려하라. 9 너희가 배운 것이나, 받아들인 것이나 들은 것이나 또 너희가 내 안에서 보았으니, 이것들을 행하라. 그러면 평안의 하나님께서 너희와 함께 하실 것이다.

NET

8 Finally, brothers and sisters, whatever is true, whatever is worthy of respect, whatever is just, whatever is pure, whatever is lovely, whatever is commendable, if something is excellent or praiseworthy, think about these things. 9 And what you learned and received and heard and saw in me, do these things. And the God of peace will be with you.

4 Westcott-Hort Greek NT

10 Ἐχάρην δὲ ἐν κυρίῳ μεγάλως ὅτι ἤδη ποτὲ ἀνεθάλετε τὸ ὑπὲρ ἐμοῦ φρονεῖν, ἐφ' ᾧ καὶ ἐφρονεῖτε, ἠκαιρεῖσθε δέ.

11 οὐχ ὅτι καθ' ὑστέρησιν λέγω, ἐγὼ γὰρ ἔμαθον ἐν οἷς εἰμι αὐτάρκης εἶναι.

12 οἶδα καὶ ταπεινοῦσθαι, οἶδα καὶ περισσεύειν· ἐν παντὶ καὶ ἐν πᾶσιν μεμύημαι, καὶ χορτάζεσθαι καὶ πεινᾶν καὶ περισσεύειν καὶ ὑστερεῖσθαι·

13 πάντα ἰσχύω ἐν τῷ ἐνδυναμοῦντί με.

맛싸성경

10 그러나 내가 주 안에서 크게 기뻐하노니, 이제 마침내 나를 위하여 생각하는 것이 회복되었으니 할 수 있는 만큼 너희가 생각하였으나, 기회가 없었느니라. 11 부족함을 따라서 내가 말하는 것이 아니며, 이러므로 어떤 상황에 있어도 자족하여 있는 것을 나는 배웠노라. 12 나는 또한 낮아짐도 알고 또한 풍부함도 알아서, 모든 것과 모든 일에서 비밀을 배웠으니 또 배부름과 배고픔이며 또 풍부함과 부족함이다. 13 나를 강하게 하시는 그리스도 안에서 모든 것들을 나는 할 수 있다.

NET

10 I have great joy in the Lord because now at last you have again expressed your concern for me. (Now I know you were concerned before but had no opportunity to do anything.) 11 I am not saying this because I am in need, for I have learned to be content in any circumstance. 12 I have experienced times of need and times of abundance. In any and every circumstance I have learned the secret of contentment, whether I go satisfied or hungry, have plenty or nothing. 13 I am able to do all things through the one who strengthens me.

4 Westcott-Hort Greek NT

14 πλὴν καλῶς ἐποιήσατε συγκοινωνήσαντες μου τῇ θλίψει.

15 οἴδατε δὲ καὶ ὑμεῖς Φιλιππήσιοι ὅτι ἐν ἀρχῇ τοῦ εὐαγγελίου,

ὅτε ἐξῆλθον ἀπὸ Μακεδονίας, οὐδεμία μοι ἐκκλησία

ἐκοινώνησεν εἰς λόγον δόσεως καὶ λήμψεως εἰ μὴ ὑμεῖς μόνοι,

맛싸성경

14 그럼에도 너희가 잘 행하여 내 환난에 함께 동참하였으며, 15 그러나 너희가 알듯이, 너희, 빌립보 사람들아! 복음의 처음에 내가 마케도냐에서부터 떠날 때, 나에게 교제한 교회가 주고받은 일에는 너희 외에는 아무도 없었다.

NET

14 Nevertheless, you did well to share with me in my trouble. 15 And as you Philippians know, at the beginning of my gospel ministry, when I left Macedonia, no church shared with me in this matter of giving and receiving except you alone.

16 ὅτι καὶ ἐν Θεσσαλονίκῃ καὶ ἅπαξ καὶ δὶς εἰς τὴν χρείαν μοι ἐπέμψατε.

17 οὐχ ὅτι ἐπιζητῶ τὸ δόμα, ἀλλὰ ἐπιζητῶ τὸν καρπὸν τὸν πλεονάζοντα εἰς λόγον ὑμῶν.

18 ἀπέχω δὲ πάντα καὶ περισσεύω· πεπλήρωμαι δεξάμενος παρὰ Ἐπαφροδίτου τὰ παρ' ὑμῶν, ὀσμὴν εὐωδίας, θυσίαν δεκτήν, εὐάρεστον τῷ θεῷ.

19 ὁ δὲ θεός μου πληρώσει πᾶσαν χρείαν ὑμῶν κατὰ τὸ πλοῦτος αὐτοῦ ἐν δόξῃ ἐν Χριστῷ Ἰησοῦ.

20 τῷ δὲ θεῷ καὶ πατρὶ ἡμῶν ἡ δόξα εἰς τοὺς αἰῶνας τῶν αἰώνων, ἀμήν.

맛싸성경

16 또한 데살로니가에서도 또 한번 그리고 두 번이나 내가 필요한 것을 너희는 보내어 주었다. 17 나는 선물을 추구한 것이 아니요, 오히려 너희에게 유익하여 넘치는 열매를 추구하였다. 18 그러나 나는 모든 것을 받았고 풍부하다. 나는 충분하여, 에바프로디토를 통하여 너희로부터 모든 것을 받았으니 향기로운 향품이며, 받으실 만한 제물이고 하나님께 기쁘시게 하는 것이다. 19 그러나 나의 하나님이 그리스도 예수 안에서 영광으로 그분의 부요하심을 따라서 너희 모든 필요를 채워주실 것이다. 20 하나님 그리고 우리 아버지께 시대의 시대까지 영광이 (있기를 원한다). 아멘.

NET

16 For even in Thessalonica on more than one occasion you sent something for my need. 17 I do not say this because I am seeking a gift. Rather, I seek the credit that abounds to your account. 18 For I have received everything, and I have plenty. I have all I need because I received from Epaphroditus what you sent—a fragrant offering, an acceptable sacrifice, very pleasing to God. 19 And my God will supply your every need according to his glorious riches in Christ Jesus. 20 May glory be given to God our Father forever and ever. Amen.

4 Westcott-Hort Greek NT

21 Ἀσπάσασθε πάντα ἅγιον ἐν Χριστῷ Ἰησοῦ. ἀσπάζονται ὑμᾶς οἱ σὺν ἐμοὶ ἀδελφοί.

22 ἀσπάζονται ὑμᾶς πάντες οἱ ἅγιοι, μάλιστα δὲ οἱ ἐκ τῆς Καίσαρος οἰκίας.

23 Ἡ χάρις τοῦ κυρίου Ἰησοῦ Χριστοῦ μετὰ τοῦ πνεύματος ὑμῶν.

맛싸성경

21 그리스도 예수 안에 있는 모든 거룩한 자들에게 인사하고, 나와 함께 있는 형제들도 너희에게 인사하며, 22 모든 거룩한 자들이 너희에게 인사하고, 특별히 카이사르 집안에서부터 있는 자들도 (한다). 23 주님 예수 그리스도의 은혜가 너희 모두와 함께 (있기를 원한다). 아멘.

NET

21 Give greetings to all the saints in Christ Jesus. The brothers with me here send greetings. 22 All the saints greet you, especially those who belong to Caesar's household. 23 The grace of the Lord Jesus Christ be with your spirit.

부 록

Codex Sinaiticus

- 시내사본 따라쓰기 -

* Codex Sinaiticus 는 원래 장절 구분 없이 대문자로만 이루어져 있으나
본서에서는 구분 편의를 위해 기재하였습니다.

1

1 ΠΑΥΛΟΣΚΑΙΤΙΜΟΘΕΟΣΔΟΥΛΟΙΧΡΙΣΤ
ΟΥΙΗΣΟΥΠΑΣΙΤΟΙΣΑΓΙΟΙΣΕΝΧΡΙΣΤΩΙ
ΗΣΟΥΤΟΙΣΟΥΣΙΝΕΝΦΙΛΙΠΠΟΙΣΣΥΝΕΠ
ΙΣΚΟΠΟΙΣΚΑΙΔΙΑΚΟΝΟΙΣ 2 ΧΑΡΙΣΥΜ
ΙΝΚΑΙΕΙΡΗΝΗΑΠΟΘΕΟΥΠΑΤΡΟΣΗΜΩ
ΝΚΑΙΚΥΡΙΟΥΙΗΣΟΥΧΡΙΣΤΟΥ 3 ΕΥΧΑΡΙ
ΣΤΩΤΩΘΕΩΜΟΥΕΠΙΠΑΣΗΤΗΜΝΕΙΑΥΜ
ΩΝ 4 ΠΑΝΤΟΤΕΕΝΠΑΣΗΤΗΔΕΗΣΕΙΜ
ΟΥΥΠΕΡΠΑΤΩΝΥΜΩΝΜΕΤΑΧΑΡΑΣΤΗΝ
ΔΕΗΣΙΝΠΟΙΟΥΜΕΝΟΣ 5 ΕΠΙΤΗΚΟΙΝ
ΩΝΙΑΥΜΩΝΕΙΣΤΟΕΥΑΓΓΕΛΙΟΝΑΠΟΤΗ
ΣΠΡΩΤΗΣΗΜΕΡΑΣΑΧΡΙΤΟΥΝΥΝ 6 ΠΕ
ΠΟΙΘΩΣΑΥΤΟΤΟΥΤΟΟΤΙΟΕΝΑΡΞΑΜΕ
ΝΟΣΕΝΥΜΙΝΕΡΓΟΑΓΑΘΟΝΕΠΙΤΕΛΕΣΙ
ΑΧΡΙΗΜΕΡΑΣΙΗΣΟΥΧΡΙΣΤΟΥ 7 ΚΑΘΩ
ΣΕΣΤΙΝΔΙΚΑΙΟΝΕΜΟΙΤΟΥΤΟΦΡΟΝΕΙ
ΝΥΠΕΡΠΑΝΤΩΝΥΜΩΝΔΙΑΤΟΕΧΕΙΝΜΕ
ΕΝΤΗΚΑΡΔΙΑΥΜΑΣΕΝΤΕΤΟΙΣΔΕΣΜΟΙΣ
ΜΟΥΚΑΙΕΝΤΗΑΠΟΛΟΓΙΑΚΑΙΒΕΒΑΙΩΣΕ
ΙΤΟΥΕΥΑΓΓΕΛΙΟΥΣΥΚΟΙΝΩΝΟΥΣΜΟΥΤ
ΗΣΧΑΡΙΤΟΣΠΑΝΤΑΣΥΜΑΣΟΝΤΑΣ

8 ΜΑΡΤΥΣΓΑΡΜΟΥΟΘΕΟΣΩΣΕΠΙΠΟΘ
ΩΠΑΝΤΑΣΥΜΑΣΕΝΣΠΛΑΓΧΝΟΙΣΧΡΙΣΤ
ΟΥΙΗΣΟΥ 9 ΚΑΙΤΟΥΤΟΠΡΟΣΕΥΧΟΜ
ΑΙΙΝΑΗΑΓΑΠΗΥΜΩΝΕΤΙΜΑΛΛΟΝΚΑΙΜ
ΑΛΛΟΝΠΕΡΙΣΣΕΥΗΕΝΕΠΙΓΝΩΣΕΙΚΑΙΠ
ΑΣΗΑΙΣΘΗΣΕΙ 10 ΕΙΣΤΟΔΟΚΙΜΑΖΕΙ
ΝΤΑΔΙΑΦΕΡΟΝΤΑΙΝΑΗΤΕΑΛΙΚΡΙΝΕΙΣΚ
ΑΙΑΠΡΟΣΚΟΠΟΙΕΙΣΗΜΕΡΑΝΧΡΙΣΤΟΥ
11 ΠΕΠΛΗΡΩΜΕΝΟΙΚΑΡΠΟΝΔΙΚΑΙΟ
ΣΥΝΗΣΤΟΝΔΙΑΙΗΣΟΥΧΡΙΣΤΟΥΕΙΣΔΟΞ
ΑΝΚΑΙΕΠΑΙΝΟΝΘΕΟΥ 12 ΓΕΙΝΩΣΚΙΝ
ΔΕΥΜΑΣΒΟΥΛΟΜΑΙΑΔΕΛΦΟΙΟΤΙΤΑΚΑ
ΤΕΜΕΜΑΛΛΟΝΕΙΣΠΡΟΚΟΠΗΝΤΟΥΕΥΑ
ΓΓΕΛΙΟΥΕΛΗΛΥΘΕΝ 13 ΩΣΤΕΤΟΥΣΔΕΣ
ΜΟΥΣΜΟΥΦΑΝΕΡΟΥΣΕΝΤΩΧΡΙΣΤΩΓΕ
ΓΟΝΕΝΑΙΕΝΟΛΩΤΩΠΡΑΙΤΩΡΙΩΚΑΙΤΟΙ
ΣΛΟΙΠΟΙΣΠΑΣΙΝ 14 ΚΑΙΤΟΥΣΠΛΕΙΟΝ
ΑΣΤΩΝΑΔΕΛΦΩΝΕΝΚΥΡΙΩΠΕΠΟΙΘΟΤ
ΑΣΤΟΙΣΔΕΣΜΟΙΣΜΟΥΠΕΡΙΣΣΟΤΕΡΩΣ
ΤΟΛΜΑΝΑΦΟΒΩΣΤΟΝΛΟΓΟΝΤΟΥΘΕΟ
ΥΛΑΛΙ

15 ΤΙΝΕΣΜΕΝΚΑΙΔΙΑΦΘΟΝΟΝΚΑΙΕΡΙΝ
ΤΙΝΕΣΔΕΚΑΙΔΙΕΥΔΟΚΙΑΝΤΟΝΧΡΙΣΤΟΝ
ΚΗΡΥΣΣΕΙΝ 16 ΟΙΜΕΝΕΞΑΓΑΠΗΣΕΙΔΟΤ
ΕΣΟΤΙΕΙΣΑΠΟΛΟΓΙΑΝΤΟΥΕΥΑΓΓΕΛΙΟΥ
ΚΕΙΜΑΙ 17 ΟΙΔΕϜΞΕΡΙΘΕΙΑΣΤΟΝΧΡΙΣΤ
ΟΝΚΑΤΑΓΓΕΛΛΟΥΣΙΝΟΥΧΑΓΝΩΣΟΙΟΜ
ΕΝΟΙΘΛΙΨΙΝΕΓΕΙΡΕΙΝΤΟΙΣΔΕΣΜΟΙΣ
ΜΟΥ 18 ΤΙΓΑΡΠΛΗΝΟΤΙΠΑΝΤΙΤΡΟΠΩΕ
ΙΤΕΠΡΟΦΑΣΕΙΕΙΤΕΕΑΛΗΘΕΙΑΧΡΙΣΤΟΣ
ΚΑΤΑΓΓΕΛΛΕΤΑΙΚΑΙΕΝΤΟΥΤΩΧΑΙΡΩΑΛΛ
ΑΚΑΙΧΑΡΗΣΟΜΑΙ 19 ΟΙΔΑΓΑΡΟΤΙΤΟΥΤ
ΟΜΟΙΑΠΟΒΗΣΕΤΑΙΕΙΣΣΩΤΗΡΙΑΝΔΙΑΤ
ΗΣΥΜΩΝΔΕΗΣΕΩΣΚΑΙΕΠΙΧΟΡΗΓΙΑΣΤ
ΟΥΠΝΕΥΜΑΤΟΣΙΗΣΟΥΧΡΙΣΤΟΥ 20 ΚΑΤ
ΑΤΗΝΑΠΟΚΑΡΑΔΟΚΙΑΝΚΑΙΕΛΠΙΔΑΜΟ
ΥΟΤΙΕΝΟΥΔΕΝΙΑΙΣΧΥΝΘΗΣΟΜΑΙΑΛΛΕ
ΝΠΑΣΗΠΑΡΡΗΣΙΑΩΣΠΑΝΤΟΤΕΚΑΙΝΥΝ
ΜΕΓΑΛΥΝΘΗΣΕΤΑΙΧΡΙΣΤΟΣΕΝΤΩΣΩΜ
ΑΤΙΜΟΥΕΙΤΕΔΙΑΖΩΗΣΕΙΤΕΔΙΑΘΑΝΑΤΟ
Υ 21 ΕΜΟΙΓΑΡΤΟΖΗΝΧΡΙΣΤΟΣΚΑΙΤΟΑ
ΠΟΘΑΝΕΙΝΚΕΡΔΟΣ

22 ΕΙΔΕΤΟΖΗΝΕΝΣΑΡΚΙΤΟΥΤΟΜΟΙΚΑΡ
ΠΟΣΕΡΓΟΥΚΑΙΤΙΑΙΡΗΣΟΜΑΙΟΥΓΝΩΡΙ
ΖΩ 23 ΣΥΝΕΧΟΜΑΙΔΕΕΚΤΩΝΔΥΟΤΗΝΕ
ΠΙΘΥΜΙΑΝΕΧΩΕΙΣΤΟΑΝΑΛΥΣΑΙΚΑΙΣΥΝ
ΧΡΙΣΤΩΕΙΝΑΙΠΟΛΛΩΜΑΛΛΟΝΚΡΙΣΣΟ
24 ΤΟΔΕΕΠΙΜΕΝΙΝΤΗΣΑΡΚΙΑΝΑΓΚΑΙΟΤ
ΕΡΟΝΔΙΥΜΑΣ 25 ΚΑΙΤΟΥΤΟΠΕΠΟΙΘΩ
ΣΟΙΔΑΟΤΙΜΕΝΩΚΑΙΠΑΡΑΜΕΝΩΠΑΣΙΝ
ΥΜΙΝΕΙΣΤΗΝΥΜΩΠΡΟΚΟΠΗΝΚΑΙΧΑΡ
ΑΝΤΗΣΠΙΣΤΕΩΣΥΜΩΝ 26 ΙΝΑΤΟΚΑΥΧ
ΗΜΑΥΜΩΝΠΕΡΙΣΣΕΥΗΕΝΧΡΙΣΤΩΙΗΣΟ
ΥΕΝΕΜΟΙΔΙΑΤΗΣΕΜΗΣΠΑΡΟΥΣΙΑΣΠΑ
ΛΙΝΠΡΟΣΥΜΑΣ 27 ΜΟΝΟΝΑΞΙΩΣΤΟΥ
ΕΥΑΓΓΕΛΙΟΥΠΟΛΙΤΕΥΕΣΘΑΙΙΝΑΕΙΤΕΕΛ
ΘΩΝΚΑΙΕΙΔΩΥΜΑΣΑΚΟΥΩΤΑΠΕΡΙΥΜΩ
ΝΟΤΙΣΤΗΚΕΤΕΕΝΕΝΙΠΝΕΥΜΑΤΙΜΙΑΨΥ
ΧΗΣΥΝΑΘΛΟΥΤΕΣΤΗΠΙΣΤΙΤΟΥΕΥΑΓΓΕ
ΛΙΟΥ 28 ΚΑΙΜΗΠΤΥΡΟΜΕΝΟΙΕΝΜΗΔ
ΕΝΙΥΠΟΤΩΝΑΝΤΙΚΕΙΜΕΝΩΝΗΤΙΣΕΣΤΙ
ΝΑΥΤΟΙΣΕΝΔΕΙΞΕΙΣΑΠΩΛΙΑΣΥΜΩΝΔΕ
ΣΩΤΗΡΙΑΣΚΑΙΤΟΥΤΟΑΠΟΘΕΟΥ 29 ΟΤΙ
ΥΜΙΝΕΧΑΡΙΣΘΗΤΟΥΠΕΡΧΡΙΣΤΟΥΟΥΜ
ΟΝΟΝΤΟΕΙΣΑΥΤΟΠΙΣΤΕΥΕΙΝΑΛΛΑΚΑΙ
ΤΟΥΠΕΡΑΥΤΟΥΠΑΣΧΕΙΝ 30 ΤΟΝΑΥΤΟΝ
ΑΓΩΝΑΕΧΟΝΤΕΣΟΙΟΝΕΙΔΕΤΕΕΝΕΜΟΙ
ΚΑΙΝΥΝΑΚΟΥΕΤΕΕΝΕΜΟΙ

2

₁ ΕΙΤΙΣΟΥΝΠΑΡΑΚΛΗΣΙΣΕΝΧΡΙΣΤΩΕΙΤΙ
ΠΑΡΑΜΥΘΙΟΝΑΓΑΠΗΣΕΙΤΙΣΚΟΙΝΩΝΙΑ
ΠΝΕΥΜΑΤΟΣΕΙΤΙΣΣΠΛΑΓΧΝΑΚΑΙΟΙΚΤΙ
ΡΜΟΙ ₂ ΠΛΗΡΩΣΑΤΕΜΟΥΤΗΝΧΑΡΑΝΙ
ΝΑΤΟΑΥΤΟΦΡΟΝΗΤΕΤΗΑΥΤΗΝΑΓΑΠΗ
ΝΕΧΟΝΤΕΣΣΥΜΨΥΧΟΙΤΟΑΥΤΟΦΡΟΝΟ
ΥΤΕΣ ₃ ΜΗΔΕΝΚΑΤΕΡΙΘΙΑΝΜΗΔΕΚΑΤ
ΑΚΕΝΟΔΟΞΙΑΝΑΛΛΑΤΗΤΑΠΙΝΟΦΡΟΣ
ΥΝΗΑΛΛΗΛΟΥΣΗΓΟΥΜΕΝΟΙΥΠΕΡΕΧΟ
ΝΤΑΣΕΑΥΤΩΝ ₄ ΜΗΤΑΕΑΥΤΩΝΕΚΑΣΤΟ
ΣΣΚΟΠΟΥΤΕΣΑΛΛΑΚΑΙΤΑΕΤΕΡΩΝΕΚΑΣ
ΤΟΙ ₅ ΤΟΥΤΟΦΡΟΝΕΙΤΕΕΝΥΜΙΝΟΚΑΙ
ΕΝΧΡΙΣΤΩΙΗΣΟΥ

6 ΟΣΕΝΜΟΡΦΗΘΕΟΥΥΠΑΡΧΩΟΥΧΑΡΠ
ΑΓΜΟΝΗΓΗΣΑΤΟΤΟΕΙΝΑΙΙΣΑΘΕΩ 7 ΑΛ
ΛΑΕΑΥΤΟΝΕΚΕΝΩΣΕΝΜΟΡΦΗΔΟΥΛΟΥ
ΛΑΒΩΝΕΝΟΜΟΙΩΜΑΤΙΑΝΘΡΩΠΩΝΓΕ
ΝΟΜΕΝΟΣΚΑΙΣΧΗΜΑΤΙΕΥΡΕΘΕΙΣΩΣΑ
ΝΘΡΩΠΟΣ 8 ΕΤΑΠΙΝΩΣΕΝΕΑΥΤΟΝΓΕΝ
ΟΜΕΝΟΣΥΠΗΚΟΟΣΜΕΧΡΙΘΑΝΑΤΟΥΘ
ΑΝΑΤΟΥΔΕΤΟΥΣΤΑΥΡΟΥ 9 ΔΙΟΚΑΙΟΘΕ
ΟΣΑΥΤΟΝΥΠΕΡΥΨΩΣΕΝΚΑΙΕΧΑΡΙΣΑΤΟ
ΑΥΤΩΤΟΟΝΟΜΑΤΟΥΠΕΡΠΑΝΟΝΟΜΑ
10 ΙΝΑΕΝΤΩΟΝΟΜΑΤΙΙΗΣΟΥΧΡΙΣΤΟΥΠ
ΑΝΓΟΝΥΚΑΜΨΗΕΠΟΥΡΑΝΙΩΝΚΑΙΕΠΙΓ
ΙΩΝΚΑΙΚΑΤΑΧΘΟΝΙΩΝ 11 ΚΑΙΠΑΣΑΓΛΩ
ΣΣΑΕΞΟΜΟΛΟΓΗΣΗΤΕΟΤΙΚΥΡΙΟΣΙΗΣ
ΟΥΣΧΡΙΣΤΟΣΕΙΣΔΟΞΑΝΘΕΟΥΠΑΤΡΟΣ

ΩΣΤΕΑΓΑΠΗΤΟΙΜΟΥΚΑΘΩΣΠΑΝΤΟ 12

ΤΕΥΠΗΚΟΥΣΑΤΕΜΗΩΣΕΝΤΗΠΑΡΟΥΣΙΑ

ΜΟΥΜΟΝΟΝΑΛΛΑΝΥΠΟΛΛΩΜΑΛΛΟΝ

ΕΝΤΗΑΠΟΥΣΙΑΜΟΥΜΕΤΑΦΟΒΟΥΚΑΙΤ

ΡΟΜΟΥΤΗΝΕΑΥΤΩΝΣΩΤΗΡΙΑΝΚΑΤΕΡΓ

ΑΖΕΣΘΕ 13 ΘΕΟΣΓΑΡΕΣΤΙΝΟΕΝΕΡΓΩΝΕ

ΝΥΜΙΝΚΑΙΤΟΘΕΛΕΙΝΚΑΙΤΟΕΝΕΡΓΕΙΝ

ΥΠΕΡΤΗΣΕΥΔΟΚΙΑΣ 14 ΠΑΝΤΑΠΟΙΕΙΤΕ

ΧΩΡΙΣΓΟΓΓΥΣΜΩΝΚΑΙΔΙΑΛΟΓΙΣΜΩ 15 Ι

ΝΑΓΕΝΗΣΘΕΑΜΕΜΠΤΟΙΚΑΙΑΚΑΙΡΕΟΙ

ΤΕΚΝΑΘΕΟΥΑΜΩΜΑΜΕΣΟΝΓΕΝΕΑΣΣ

ΚΟΛΙΑΣΚΑΙΔΙΕΣΤΡΑΜΜΕΝΗΣΕΝΟΙΣΦ

ΑΙΝΕΣΘΕΩΣΦΩΣΤΗΡΕΣΕΝΚΟΣΜΩ 16 Λ

ΟΓΟΖΩΗΣΕΧΟΝΤΕΣΕΙΣΚΑΥΧΗΜΑΕΜΟΙ

ΕΙΣΗΜΕΡΑΝΧΡΙΣΤΟΥΟΤΙΟΥΚΕΙΣΚΕΝΟ

ΝΕΔΡΑΜΟΝΟΥΔΕΕΙΣΚΕΝΟΝΕΚΟΠΙΑΣ

Α 17 ΑΛΛΕΙΚΑΙΣΠΕΝΔΟΜΑΙΕΠΙΤΗΘΥΣΙ

ΑΚΑΙΛΙΤΟΥΡΓΙΑΤΗΣΠΙΣΤΕΩΣΥΜΩΝΧΑΙ

ΡΩΠΑΣΙΝΥΜΙΝ 18 ΤΟΔΕΑΥΤΟΚΑΙΥΜΙΣ

ΧΑΙΡΕΤΕΚΑΙΣΥΓΧΑΙΡΕΤΕΜΟΙ

19 ΕΛΠΙΖΩΔΕΕΝΚΥΡΙΩΙΗΣΟΥΤΙΜΟΘΕΟ
ΝΤΑΧΕΩΣΠΕΜΨΑΙΥΜΙΙΝΑΚΑΓΩΕΥΨΥΧ
ΩΓΝΟΥΣΤΑΠΕΡΙΥΜΩ 20 ΟΥΔΕΝΑΓΑΡΕΧ
ΩΙΣΟΨΥΧΟΝΟΣΤΙΣΓΝΗΣΙΩΣΤΑΠΕΡΙΥΜ
ΩΜΕΡΙΜΝΗΣΕΙ 21 ΟΙΠΑΝΤΕΣΓΑΡΤΑΕΑ
ΥΤΩΝΖΗΤΟΥΣΙΝΟΥΤΑΙΗΣΟΥΧΡΙΣΤΟΥ 22
ΤΗΝΔΕΔΟΚΙΜΗΝΑΥΤΟΥΓΙΝΩΣΚΕΤΕΟΤ
ΙΩΣΠΑΤΡΙΤΕΚΝΟΣΥΝΕΜΟΙΕΔΟΥΛΕΥΣΕ
ΝΕΙΣΤΟΕΥΑΓΓΕΛΙΟΝ 23 ΤΟΥΤΟΝΜΕΝΟ
ΥΝΕΛΠΙΖΩΠΕΜΨΑΙΩΣΑΑΦΙΔΩΤΑΠΕΡΙΕ
ΜΕΕΞΑΥΤΗΣ 24 ΠΕΠΟΙΘΑΔΕΕΝΚΥΡΙΩΩ
ΤΙΚΑΙΑΥΤΟΣΤΑΧΕΩΣΕΛΕΥΣΟΜΑΙΠΡΟΣ
ΥΜΑΣ

₂₅ ΑΝΑΓΚΑΙΟΝΔΕΗΓΗΣΑΜΗΝΕΠΑΦΡΟ
ΔΙΤΟΝΤΟΝΑΔΕΛΦΟΝΚΑΙΣΥΝΕΡΓΟΚΑΙ
ΣΥΣΤΡΑΤΙΩΤΗΜΟΥΥΜΩΝΔΕΑΠΟΣΤΟΛ
ΟΝΚΑΙΛΙΤΟΥΡΓΟΝΤΗΣΧΡΕΙΑΣΜΟΥΠΕ
ΜΨΑΙΠΡΟΣΥΜΑΣ ₂₆ ΕΠΕΙΔΗΕΠΙΠΟΘΩ
ΝΗΝΠΑΝΤΑΣΥΜΑΣΙΔΕΙΝΚΑΙΑΔΗΜΟΝ
ΩΝΔΙΟΤΙΗΚΟΥΣΑΤΕΟΤΙΗΣΘΕΝΗΣΕΝ ₂₇
ΚΑΙΓΑΡΗΣΘΕΝΗΣΕΝΠΑΡΑΠΛΗΣΙΟΝΘ
ΑΝΑΤΩΑΛΛΑΟΘΕΟΣΗΛΕΗΣΕΝΑΥΤΟΝΟ
ΥΚΑΥΤΟΝΔΕΜΟΝΟΑΛΛΑΚΑΙΕΜΕΙΝΑΜ
ΗΛΥΠΗΝΕΠΙΛΥΠΗΝΣΧΩ ₂₈ ΣΠΟΥΔΑΙΟ
ΤΕΡΩΣΟΥΝΕΠΕΜΨΑΑΥΤΟΙΝΑΕΙΔΟΝΤΕ
ΣΑΥΤΟΝΠΑΛΙΝΧΑΡΗΤΕΚΑΓΩΑΛΥΠΟΤΕ
ΡΟΣΩ ₂₉ ΠΡΟΣΔΕΞΑΣΘΑΙΟΥΝΑΥΤΟΝΕ
ΝΚΥΡΙΩΜΕΤΑΠΑΣΗΣΧΑΡΑΣΚΑΙΤΟΥΣΤ
ΟΙΟΥΤΟΥΣΕΝΤΙΜΟΥΣΕΧΕΤΕ ₃₀ ΟΤΙΔΙΑ
ΤΟΕΡΓΟΝΚΥΡΙΟΥΜΕΧΡΙΘΑΝΑΤΟΥΗΓΓΙ
ΣΕΝΠΑΡΑΒΟΛΕΥΣΑΜΕΝΟΣΤΗΨΥΧΗΙΝ
ΑΑΝΑΠΛΗΡΩΣΕΙΤΟΥΜΩΝΥΣΤΕΡΗΜΑΤ
ΗΣΠΡΟΣΕΜΕΛΙΤΟΥΡΓΙΑΣ

3

₁ ΤΟΛΟΙΠΟΝΑΔΕΛΦΟΙΜΟΥΧΑΙΡΕΤΕΕΝ
ΚΥΡΙΩΤΑΥΤΑΓΡΑΦΕΙΝΥΜΙΕΜΟΙΜΕΝΟΥ
ΚΟΚΝΗΡΟΝΥΜΙΝΔΕΑΣΦΑΛΕΣ ₂ ΒΛΕΠ
ΕΤΕΤΟΥΣΚΥΝΑΣΒΛΕΠΕΤΕΤΟΥΣΚΑΚΟΥΣ
ΕΡΓΑΤΑΣΒΛΕΠΕΤΕΤΗΝΚΑΤΑΤΟΜΗΝ ₃ Η
ΜΕΙΣΓΑΡΕΣΜΕΝΗΠΕΡΙΤΟΜΗΟΙΠΝΕΥ
ΜΑΤΙΘΕΟΥΛΑΤΡΕΥΟΝΤΕΣΚΑΙΚΑΥΧΩΜΕ
ΝΟΙΕΝΧΡΙΣΤΩΙΗΣΟΥΚΑΙΟΥΚΕΣΑΡΚΙΠΕ
ΠΟΙΘΟΤΕΣ ₄ ΚΑΙΠΕΡΕΓΩΕΧΩΝΠΕΠΟΙΘ
ΗΣΙΝΚΑΙΕΝΣΑΡΚΙΕΙΤΙΣΔΟΚΕΙΑΛΛΟΣΠ
ΕΠΟΙΘΕΝΑΙΕΝΣΑΡΚΙΠΕΜΑΛΛΟΝ ₅ ΠΕ
ΡΙΤΟΜΗΟΚΤΑΗΜΕΡΟΣΕΚΓΕΝΟΥΣΙΣΡΑ
ΗΛΦΥΛΗΣΒΕΝΙΑΜΕΙΝΕΒΡΑΙΟΣΕΞΕΒΡ
ΑΙΩΝΚΑΤΑΝΟΜΟΝΦΑΡΙΣΑΙΟΣ ₆ ΚΑΤΑ
ΖΗΛΟΣΔΙΩΚΩΝΤΗΝΕΚΚΛΗΣΙΑΝΚΑΤΑΔΙ
ΚΑΙΟΣΥΝΗΝΤΗΝΕΝΝΟΜΩΓΕΝΟΜΕΝ
ΟΣΑΜΕΜΠΤΟΣ

ₐ ΑΤΙΝΑΗΝΜΟΙΚΕΡΔΗΤΑΥΤΑΗΓΗΜΑΙΔΙ
ΑΤΟΝΧΡΙΣΤΟΝΖΗΜΙΑ ₈ ΑΛΛΑΜΕΝΟΥ
ΝΓΕΗΓΟΥΜΑΙΠΑΝΤΑΖΗΜΙΑΝΕΙΝΑΙΔΙΑ
ΤΟΥΠΕΡΕΧΟΝΤΗΣΓΝΩΣΕΩΣΧΡΙΣΤΟΥΙ
ΗΣΟΥΤΟΥΚΥΡΙΟΥΜΟΥΔΙΟΝΤΑΠΑΝΤΑΕ
ΖΗΜΙΩΘΗΝΚΑΙΗΓΟΥΜΑΙΣΚΥΒΑΛΑΙΝΑ
ΧΡΙΣΤΟΝΚΕΡΔΗΣΩ ₉ ΚΑΙΕΥΡΕΘΩΕΝΑ
ΥΤΩΜΗΕΧΩΔΙΚΑΙΟΣΥΝΗΝΕΜΗΝΤΗΝΕ
ΚΝΟΜΟΥΑΛΛΑΤΗΝΔΙΑΠΙΣΤΕΩΣΧΡΙΣΤ
ΟΥΤΗΝΕΚΘΕΟΥΔΙΚΑΙΟΣΥΝΗΝΕΠΙΤΗΠ
ΙΣΤΙ ₁₀ ΤΟΥΓΝΩΝΑΙΑΥΤΟΝΚΑΙΤΗΝΔΥΝ
ΑΜΙΝΤΗΣΓΝΩΣΕΩΣΑΥΤΟΥΚΑΙΚΟΙΝΩΝΙ
ΑΝΠΑΘΗΜΑΤΩΝΑΥΤΟΥΣΥΝΜΟΡΦΙΖΟ
ΜΕΝΟΣΤΩΘΑΝΑΤΩΑΥΤΟΥ ₁₁ ΕΙΠΩΣΚΑ
ΤΑΝΤΗΣΩΕΙΣΤΗΝΕΞΑΝΑΣΤΑΣΙΤΗΝΕΚ
ΝΕΚΡΩΝ

12 ΟΥΧΟΤΙΗΔΗΕΛΑΒΟΗΗΔΗΤΕΤΕΛΙΩΜ
ΑΙΔΙΩΚΩΔΕΕΙΚΑΤΑΛΑΒΩΕΦΩΕΙΚΑΤΕΛΗ
ΜΦΘΗΝΥΠΟΧΡΙΣΤΟΥΙΗΣΟΥ 13 ΑΔΕΛΦ
ΟΙΕΓΩΕΜΑΥΤΟΝΟΥΠΩΛΟΓΙΖΟΜΑΙΚΑΤ
ΕΙΛΗΦΕΝΑΙΕΝΔΕΤΑΜΕΝΟΠΙΣΩΕΠΙΛΑ
ΝΘΑΝΟΜΕΝΟΣΤΟΙΣΔΕΕΜΠΡΟΣΘΕΝΕ
ΠΕΚΤΙΝΟΜΕΝΟΣ 14 ΚΑΤΑΣΚΟΠΟΝΔΙΩ
ΚΩΕΙΣΤΟΒΡΑΒΙΟΝΤΗΣΑΝΩΚΛΗΣΕΩΣΤ
ΟΥΘΕΟΥΕΝΧΡΙΣΤΩΙΗΣΟΥ 15 ΟΣΟΙΟΥΝ
ΤΕΛΙΟΙΤΟΥΤΟΟΥΝΦΡΟΝΟΥΜΕΚΑΙΕΙΤΙ
ΕΤΕΡΩΣΦΡΟΝΕΙΤΕΚΑΙΤΟΥΤΟΟΘΕΟΣΥ
ΜΙΝΑΠΟΚΑΛΥΨΕΙ 16 ΠΛΗΝΕΙΣΟΕΦΘΑ
ΣΑΜΕΝΤΩΑΥΤΩΣΤΟΙΧΕΙΝ

[17] ΣΥΝΜΙΜΗΤΕΜΟΥΓΙΝΕΣΘΕΑΔΕΛΦΟΙ
ΚΑΙΣΚΟΠΕΙΤΕΤΟΥΣΟΥΤΩΠΕΡΙΠΑΤΟΥΤ
ΑΣΚΑΘΩΣΕΧΕΤΕΤΥΠΟΝΗΜΑΣ [18] ΠΟΛ
ΛΟΙΓΑΡΠΕΡΙΠΑΤΟΥΣΙΝΟΥΣΠΟΛΛΑΚΙΣ
ΕΛΕΓΟΝΥΜΙΝΝΥΝΔΕΚΑΙΚΛΑΙΩΛΕΓΩΤΟ
ΥΣΕΧΘΡΟΥΣΤΟΥΣΤΑΥΡΟΥΤΟΥΧΡΙΣΤΟΥ
[19] ΩΝΤΟΤΕΛΟΣΑΠΩΛΙΑΩΝΟΘΕΟΣΗΚΟ
ΙΛΙΑΚΑΙΗΔΟΞΑΕΝΤΗΑΙΣΧΥΝΗΑΥΤΩΝΟ
ΙΤΑΕΠΙΓΙΑΦΡΟΝΟΥΝΤΕΣ [20] ΗΜΩΝΓΑΡ
ΤΟΠΟΛΙΤΕΥΜΑΕΝΟΥΡΑΝΟΙΣΥΠΑΡΧΕΙ
ΕΞΟΥΚΑΙΣΩΤΗΡΑΑΠΕΚΔΕΧΟΜΕΘΑΚΥΡ
ΙΟΝΙΗΣΟΥΝΧΡΙΣΤΟΝ [21] ΟΣΜΕΤΑΣΧΗ
ΜΑΤΙΣΕΙΤΟΣΩΜΑΤΗΣΤΑΠΙΝΩΣΕΩΣΗΜ
ΩΝΣΥΝΜΟΡΦΟΝΤΩΣΩΜΑΤΙΤΗΣΔΟΞΗ
ΣΑΥΤΟΥΚΑΤΑΤΗΝΕΝΕΡΓΕΙΑΝΤΟΥΔΥΝΑ
ΣΘΑΙΑΥΤΟΝΚΑΙΥΠΟΤΑΞΑΙΑΥΤΩΤΑΠΑΝ
ΤΑ

4

1 ΩΣΤΕΑΔΕΛΦΟΙΜΟΥΚΑΓΑΠΗΤΟΙΚΑΙΕ
ΠΙΠΟΘΗΤΟΙΧΑΡΑΚΑΙΣΤΕΦΑΝΟΣΜΟΥ
ΟΥΤΩΣΣΤΗΚΕΤΕΕΝΚΥΡΙΩΑΓΑΠΗΤΟΙ 2 Ε
ΥΟΔΙΑΝΠΑΡΑΚΑΛΩΚΑΙΣΥΝΤΥΧΗΝΠΑΡ
ΑΚΑΛΩΤΟΑΥΤΟΦΡΟΝΙΝΕΝΚΥΡΙΩ 3 ΝΑ
ΙΕΡΩΤΩΚΑΙΣΕΓΝΗΣΙΕΣΥΖΥΓΕΣΥΛΑΜΒΑ
ΝΟΥΑΥΤΑΙΣΑΙΤΙΝΕΣΕΝΤΩΕΥΑΓΓΕΛΙΩΣΥ
ΝΗΘΛΗΣΑΝΜΟΙΜΕΤΑΚΑΙΚΛΗΜΕΝΤΟ
ΣΚΑΙΤΩΝΣΥΝΕΡΓΩΝΜΟΥΚΑΙΤΩΝΛΟΙΠ
ΩΝΩΝΤΑΟΝΟΜΑΤΑΕΒΙΒΛΩΖΩΗΣ 4 ΧΑ
ΙΡΤΕΕΝΚΥΡΙΩΠΑΝΤΟΤΕΠΑΛΙΝΕΡΩΧΑΙ
ΡΕΤΕ 5 ΤΟΕΠΙΕΙΚΕΣΥΜΩΝΓΝΩΣΘΗΤΩ
ΠΑΣΙΝΑΝΘΡΩΠΟΙΣΟΚΥΡΙΟΣΕΓΓΥΣ 6 Μ
ΗΔΕΝΜΕΡΙΜΝΑΤΕΑΛΛΕΝΠΑΝΤΙΤΗΠΡ
ΟΣΕΥΧΗΚΑΙΤΗΔΕΗΣΕΙΜΕΤΕΥΧΑΡΙΣΤΙΑ
ΣΤΑΑΙΤΗΜΑΤΑΥΜΩΝΓΝΩΡΙΖΕΣΘΩΠΡΟ
ΣΤΟΝΘΕΟΝ 7 ΚΑΙΗΕΙΡΗΝΗΤΟΥΘΕΟΥ
ΗΥΠΕΡΕΧΟΥΣΑΠΑΝΤΑΝΟΥΝΦΡΟΥΡΗΣ
ΕΙΤΑΣΚΑΡΔΙΑΣΥΜΩΝΚΑΙΤΑΝΟΗΜΑΤΑΥ
ΜΩΝΕΝΧΡΙΣΤΩΙΗΣΟΥ

8 ΤΟΛΟΙΠΟΝΑΔΕΛΦΟΙΟΣΑΕΣΤΙΝΑΛΗ
ΘΗΟΣΑΣΕΜΝΑΟΣΑΔΙΚΑΙΑΟΣΑΑΓΝΑΟ
ΣΑΠΡΟΣΦΙΛΗΟΣΑΕΥΦΗΜΑΕΙΤΙΣΑΡΕΤ
ΗΚΑΙΕΙΤΙΣΕΠΕΝΟΣΤΑΥΤΑΛΟΓΙΖΕΣΘΕ 9
ΑΚΑΙΕΜΑΘΕΤΕΚΑΙΠΑΡΕΛΑΒΕΤΕΚΑΙΗΚ
ΟΥΣΑΤΕΚΑΙΕΙΔΕΤΕΕΝΕΜΟΙΤΑΥΤΑΠΡΑΣ
ΣΕΤΕΚΑΙΟΘΕΟΣΤΗΣΙΡΗΝΗΣΕΣΤΑΙΜΕ
ΘΥΜΩΝ 10 ΕΧΑΡΗΝΔΕΕΝΚΥΡΙΩΜΕΓΑΛ
ΩΣΟΤΙΗΔΗΠΟΤΕΑΝΕΘΑΛΕΤΕΤΟΥΠΕΡΕ
ΜΟΥΦΡΟΝΙΝΕΦΩΚΑΙΕΦΡΟΝΕΙΤΕΗΚΑ
ΙΡΙΣΘΕΔΕ 11 ΟΥΧΟΤΙΚΑΘΥΣΤΕΡΗΣΙΝΛ
ΕΓΩΕΓΩΓΑΡΕΜΑΘΟΝΕΝΟΙΣΕΙΜΙΑΥΤΑΡ
ΚΗΣΕΙΝΑΙ 12 ΟΙΔΑΚΑΙΤΑΠΙΝΟΥΣΘΑΙΟ
ΙΔΑΚΑΙΠΕΡΙΣΣΕΥΕΙΝΕΝΠΑΝΤΙΚΑΙΕΝΠ
ΑΣΙΜΕΜΥΗΜΑΙΚΑΙΧΟΡΤΑΖΕΣΘΑΙΚΑΙΠ
ΙΝΑΚΑΙΠΕΡΙΣΣΕΥΕΙΝΚΑΙΥΣΤΕΡΙΣΘΑΙ 13
ΠΑΝΤΑΙΣΧΥΩΕΝΤΩΕΝΔΥΝΑΜΟΥΝΤΙΜΕ

14 ΠΛΗΝΚΑΛΩΣΕΠΟΙΗΣΑΤΕΣΥΓΚΟΙΝΩ
ΝΗΣΑΝΤΕΣΜΟΥΤΗΘΛΙΨΕΙ 15 ΟΙΔΑΤΑΙ
ΔΕΚΑΙΥΜΙΣΦΙΛΙΠΠΗΣΙΟΙΟΤΙΕΝΑΡΧΗΤ
ΟΥΕΥΑΓΓΕΛΙΟΥΟΤΕΕΞΗΛΘΟΑΠΟΜΑΚΑ
ΙΔΟΝΙΑΣΟΥΔΕΜΙΑΜΟΙΕΚΚΛΗΣΙΑΕΚΟΙ
ΝΩΝΗΣΕΝΕΙΣΛΟΓΟΝΔΟΣΕΩΣΚΑΙΛΗΜ
ΨΕΩΣΕΙΜΗΥΜΙΣΜΟΝΟΙ 16 ΟΤΙΚΑΙΕΝΘ
ΕΣΣΑΛΟΝΙΚΗΚΑΙΑΠΑΞΚΑΙΔΙΣΕΙΣΤΗΧΡ
ΙΑΝΜΟΙΕΠΕΜΨΑΤΕ 17 ΟΥΧΟΤΙΕΠΙΖΗΤ
ΩΤΟΔΟΜΑΑΛΛΕΠΙΖΗΤΩΤΟΝΚΑΡΠΟΝΤ
ΟΝΠΛΕΟΝΑΖΟΝΤΑΕΙΣΛΟΓΟΝΥΜΩΝ 18
ΑΠΕΧΩΔΕΠΑΝΤΑΚΑΙΠΕΡΙΣΣΕΥΩΠΕΠ
ΛΗΡΩΜΑΙΔΕΞΑΜΕΝΟΣΠΑΡΑΕΠΑΦΡΟ
ΔΕΙΤΟΥΤΑΠΑΡΥΜΩΝΟΣΜΗΕΥΩΔΙΑΣΘΥ
ΣΙΑΝΔΕΚΤΗΝΕΥΑΡΕΣΤΟΝΤΩΘΕΩ 19 Ο
ΔΕΘΕΟΣΜΟΥΠΛΗΡΩΣΕΙΠΑΣΑΝΧΡΙΑΝ
ΥΜΩΝΚΑΤΑΤΟΠΛΟΥΤΟΣΑΥΤΟΥΔΟΞΕ
ΧΡΙΣΤΩΙΗΣΟΥ 20 ΤΩΔΕΘΕΩΚΑΙΠΑΤΡΙΗ
ΜΩΝΩΗΔΟΞΑΕΙΣΤΟΥΣΑΙΩΝΑΣΤΩΝΑΙΩ
ΝΩΝΑΜΗΝ

21 ΑΣΠΑΣΑΣΘΑΙΠΑΝΤΑΑΓΙΟΝΕΝΧΡΙΣΤΩ
ΙΗΣΟΥΑΣΠΑΖΟΝΤΑΙΥΜΑΣΟΙΣΥΝΕΜΟΙ
ΑΔΕΛΦΟΙ 22 ΑΣΠΑΖΟΝΤΑΙΥΜΑΣΠΑΝΤΕ
ΣΟΙΑΓΙΟΙΜΑΛΙΣΤΑΔΕΟΙΕΚΤΗΣΚΑΙΣΑΡ
ΟΣΟΙΚΙΑΣ 23 ΗΧΑΡΙΣΤΟΥΚΥΡΙΟΥΙΗΣΟΥ
ΧΡΙΣΤΟΥΜΕΤΑΤΟΥΠΝΕΥΜΑΤΟΣΥΜΩΝ
ΑΜΗΝ

COVENANT UNIVERSITY

fulfilling the unfulfilled task through equipping missional servant leaders for Christ

목회자를 위한 설교학 석,박사 통합 과정 소개

1. 수업 진행
1) 월간 맛싸 31-33호를 듣기
2) 각권에 따라 원하는 본문을 원문에 근거하여 설교문을 작성하고 먼저 제출하기
3) 먼저 제출된 설교문을 컨설팅하고 완성된 설교문으로 설교하는 동영상(30분)을 촬영하여 제출하기

2. 수강 과목

1) 월간 맛싸 31호 13학점
   (1) 요나(1-9회차) 2학점 - 설교 2편 작성 제출
   (2) 요엘(10-21회차) 2학점 - 설교 2편 작성 제출
   (3) 학개(22-28회차) 2학점 - 설교 2편 작성 제출
   (4) 말라기(29-38회차) 2학점 - 설교 2편 작성 제출
   (5) 오바댜(39-41회차) 1학점 - 설교 1편 작성 제출
   (6) 하박국(42-51회차) 2학점 - 설교 2편 작성 제출
   (7) 스바냐(52-61회차) 2학점 - 설교 2편 작성 제출

2) 맛싸 32호 13학점
   (1) 시편 119편(1-22회차) 2학점 - 설교 2편 작성 제출
   (2) 시편 120-134편(올라가는 노래)(23-38회차) 6학점 - 설교 6편 작성 제출
   (3) 시편 135-150편(39-61회차) 5학점 - 설교 5편 작성 제출

3) 맛싸 33호 13학점
   (1) 룻기 (1-13회) 3학점 - 설교 3편 작성 제출
   (2) 에스더 (14-48회) 3학점 - 설교 3편 작성 제출
   (3) 시편 101-106편(49-62회) 3학점 - 설교 3편 작성 제출
   (4) 신약 자유 본문(월간맛싸QT 내용중) 4학점 - 설교 4편 작성 제출

4) 논문 6학점 혹은 신약 자유 본문 6학점
   (1) 논문 작성시 - 6학점
   (2) 신약 자유 본문(월간맛싸QT 내용중) 6학점 - 설교 6편 작성 제출

3. 학비
2023년 가을학기 (8/28-12/9일까지 15주)
입학자격-학사 및 목회학 석사(Mdiv) 이상 졸업자(M.A 졸업자는 가능)
신학 석사(ThM) 45학점; 박사(DTh) 54학점; 석박사 통합 39+54=93학점
한학기 15학점; 석사 190만원; 박사 286만원
이번학기 송금처 언약성경연구소(Covenant Bible Institution)
농협 355-4696-1189-93 공식구좌

성경 원문을 공부해서 자격증 혹은 정식 학위도 받을 수 있는 기회

Covenant University -http://covenantunversity.us

카버넌트 대학은 미국 캘리포니아의 대학교로 학사, 석사, 박사 학위를 수여할 수 있는 학교입니다. 국제기독대학 협의회 즉 사립 종교대학 공인 기관(ACSI, Num. 107355)이며 또한 통신으로도 공부를 할 수 있는 미국통신고등교육연합협의회(USDLA) 정식 멤버의 학교입니다. 또한 캘리포니아 주 교육국 코드(CEC 4739b 6)및 학교인가번호 1924981과 연방등록번호 33-081445에 따라 설립된 기독교 대학입니다. 장점은 한국에서 자신의 생활을 하면서 통신으로 공부와 과정을 다 마칠 수 있는 것이 장점입니다. 참고로 이 대학은 Stanton University 캠퍼스 대학교(WASC)와 같은 재단에서 운영하는 대학이기도 합니다. 그리고 한국의 월간 맛싸-언약성경협회, 연구소와 MOU를 맺어서 성경원문으로 학위를 주는 과정입니다. 원문성경으로만 공부하는 것은 세계최초의 일입니다. (그럼에도 혹 ATS, AHBC, TRACS등의 자격을 필요로 하는 분들은 미국 현지에 유학 가서 거주하면서 공부하는 코스로 하시기 바랍니다.)

월간 맛싸(원문성경 전문지)와 연계한 학위과정

31호-13학점; 32호 14학점; 33호 13학점; 34호 12학점-현재까지 52학점 개설
(선지서; 시가서; 역사서; 신약-바울서신)

2023년 가을학기 (8/28-12/9일까지 15주)
입학자격-학사이상 국제 정식학위 소지자
신학 석사(ThM) 45학점; 박사(DTh) 54학점; 석박사 통합 39+54=93학점
한학기 15학점; 석사 190만원; 박사 286만원
이번 학기 송금처 언약성경연구소(Covenant Bible Institution)
농협 355-4696-1189-93

왕초보 히브리어/헬라어 펜습자

알파벳 따라쓰기

저자 - 허동보

수현교회 담임목사
AP부모교육 국제지도자
왕초보 히브리어/헬라어 성경읽기 강사
Covenant University, CA. 통합과정 중

히브리어/헬라어, 어렵지 않습니다.
단지 익숙하지 않을 뿐입니다.

모든 언어는 문법보다 더욱 중요한 것이 있습니다. 바로 읽고 쓰는 것입니다.

기본에 충실합니다.

이 책은 단순합니다. 다른 알파벳 교재와 달리 읽고 쓰는 것에만 집중했습니다.
쓰는 순서, 자음과 모음의 발음, 읽는 방법 등 정말 기본적이고 기초적인 것에
집중을 했습니다.

남녀노소 누구나 할 수 있습니다.

모든 언어는 왕도가 없습니다. 처음에 말과 글을 배울 때 복잡한 문법부터 공부하는
사람은 없습니다. 이 책은 어린이, 청소년을 비롯하여 히브리어/헬라어에 관심만
있다면 모든 연령이 쉽게 배울 수 있도록 집필되었습니다.

다양한 미디어로 공부가 가능합니다.

책 속에는 노트가 더 필요한 분들이 직접 인쇄할 수있도록 QR코드를 제공하고
있습니다. 히브리어 알파벳송은 따라부를 수 있도록 영상 QR코드를 제공합니다.
그 외 다양한 미디어 학습을 체험하실 수있습니다.

월간 맛싸의 발전과 함께 하실 동역자님을 모십니다.

✓ 평생이사: 월10만원 혹은 연200만원 일시불 / 후원이사: 연10만원

✓ 후원특전: 월간 맛싸와 언약성경연구소 발행 신간을 보내 드리며,
　　　　　세미나와 본사 발전회의에 초대됩니다.

✓ 후원계좌: 농협 302-1258-5603-71 (예금주: LEE HAKJAE)

✓ 정기구독: 1년 6회 90,000원 / 2년 12회: 150,000원

✓ 정기구독 문의 및 안내: 070-4126-3496

정기구독신청서

20   년   월   일

신청인	이 름			생년월일	
	주 소				
	전화	자 택	( ) -	출석교회	
		회 사	( ) -	직 분	담임목사 / 목사 / 전도사 / 장로 / 권사 / 집사
		핸드폰	( ) -	E-mail	@
수취인	이 름				
	주 소				
	전화(자택)			회 사	핸드폰
신청내용	신청기간	20 년 월 ~ 20 년 월			
	구독기간	☐ 1년 ☐ 2년 ☐ 3년			
	신청부수	부			
결제방법	카 드	· 카드종류: 국민, 비씨, 신한, 삼성, 롯데, 현대, 농협, 씨티, VISA, Master, JCB			
		· 카드번호: - - - · 유효기간: /			
		· 소유주: · 일시불/할부 개월			
	온라인				
	자동이체	CMS			
메모					

정기구독 문의 및 안내 070-4126-3496

월간 맛싸